REZEPTE
FÜR DEN SCHLANKEN
GENUSS

TIPPS FÜR EINKAUF UND ZUBEREITUNG

Bevor es mit den Rezepten losgeht, nehmen Sie sich bitte noch kurz Zeit für ein paar nützliche Tipps und Informationen. Denn Kochen beginnt bereits beim Einkauf – wer hier gut plant, kann sich viel Stress sparen. Und mit unseren Empfehlungen zur Zubereitung steht das Essen nicht nur im Nu auf dem Tisch – es schmeckt auch besser!

Gute Planung ist alles

Sie wollen beim Einkaufen Zeit und Nerven sparen? Dann schreiben Sie sich am besten eine Einkaufsliste: So können Sie sicher sein, dass Sie nichts Wichtiges vergessen, und schaffen es leichter, sich auf das Wesentliche zu beschränken. Und gehen Sie vor allem nicht hungrig einkaufen: Wenn der Magen knurrt, geben Sie schnell den Versuchungen nach, die im Supermarkt hinter jeder Ecke lauern. Da hilft die beste Einkaufsliste nichts.

Frische: das A und O

Das Wichtigste beim Kochen sind die Frische und Qualität der Zutaten. Wählen Sie deshalb Obst und Gemüse am besten der Jahreszeit entsprechend aus: Aus regionalem Anbau schmecken sie am besten. Es empfiehlt sich, lieber öfter und dafür frisch einzukaufen, denn je länger Obst und Gemüse gelagert werden, umso mehr wertvolle Inhaltsstoffe gehen verloren. Wer nur einmal pro Woche einen Großeinkauf unternimmt, für den sind TK-Produkte eine gute Alternative – sie sind so schonend verarbeitet, dass sie die volle Power an Vitalstoffen besitzen.

Fisch und Fleisch

Fleisch und Geflügel sollten Sie nur beim Metzger Ihres Vertrauens kaufen. Perfekt für eine Schlank-im-Schlaf-Ernährung sind magere Fleischsorten (weniger als 10 Gramm Fett pro 100 Gramm) und vor allem Geflügel. Fisch bringt viel Eiweiß und gesunde Omega-3-Fettsäuren auf den Tisch. Ideal sind ein bis zwei Fischmahlzeiten pro Woche.

Fixe Küchenhelfer

Keine Angst, für unsere Rezepte braucht man kein spezielles Equipment. Aber wenn Sie so wenig Zeit wie möglich in der Küche verbringen möchten, sollten Sie sich die Dienste von schnellen Helfern zunutze machen. Wer oft Gemüse raspelt oder Käse hobelt, für den ist eine Vierkantreibe unentbehrlich. Und auch ein Universalhobel mit scharfen Klingen schneidet Gurken oder Kartoffeln so schnell in Scheiben, dass es sich gar nicht erst lohnt, die Küchenmaschine anzuwerfen. Nicht nur praktisch, sondern auch energiesparend sind Wasserkocher: Mit ihnen können Sie im Nu das Wasser für Eier, Nudeln, Reis und Co. vorheizen. Gleich doppelt punkten können Sie auch mit einem Schnellkochtopf: Mit ihm sparen Sie nicht nur 70 Prozent der herkömmlichen Garzeit, bei der schnellen Zubereitung bleiben im Gemüse auch wertvolle Vitamine und Mineralstoffe erhalten.

Wie ist das mit dem Fett?

Hochwertige Fette und Öle zum Anbraten und für Gemüse und Salate sollten Sie zwar sparsam, aber regelmäßig verwenden (siehe S. 23). Besonders Raps-, Lein-, Erdnuss- und Olivenöl sind wegen ihrer besonders günstigen Fettsäure-Spektren sehr empfehlenswert. Generell gilt: Kalt gepresste Öle sind gesünder als raffinierte – und weil sie intensiver schmecken, kann man sie auch vorsichtiger dosieren. Dafür das Öl am besten mit einem Teelöffel anstatt mit einem Esslöffel abmessen. Hilfreich kann es auch sein, das hochwertige Öl mit einer Sprühflasche fein über dem Salat zu verteilen. Ebenfalls gut, um Fett zu sparen: eine beschichtete Pfanne verwenden.

Alles im Schongang

Wenn Sie Obst, Gemüse oder Salat frisch einkaufen, nutzt das wenig, wenn dann nicht alles in der Küche richtig verarbeitet wird. Als wichtigste Regel gilt: Frisches immer nur kurz abbrausen – sonst verschwinden die wertvollen Vitamine und Inhaltsstoffe im Ausguss. Das Gleiche gilt, wenn man die Zutaten geputzt längere Zeit im kühlen Nass baden lässt. Ein Maximum an Nährstoffen bleibt erhalten, wenn man Gemüse im Ganzen gart (am besten dünstet oder dämpft) und erst dann zerkleinert. Und wenn etwas übrig bleibt? Dann sollten Sie die Reste abkühlen lassen und bei Bedarf nur wieder kurz erwärmen, nicht kochen!

KOHLENHYDRATE FÜR DEN WARMSTART IN DEN TAG

Für viele Menschen ist ein Morgen ohne Frühstück kein guter Morgen. Andere wiederum kommen auch bestens ohne in den Tag. Bis jetzt, denn bei Schlank im Schlaf ist die erste Mahlzeit des Tages genauso wichtig wie die letzte, wenn man langfristig erfolgreich abnehmen und das Gewicht halten will.

FRÜHSTÜCKEN MACHT SCHLANK

Eine Mahlzeit einfach wegzulassen passt ganz und gar nicht zu dieser Ernährungsweise. Denn Essen nach dem Schlank-im-Schlaf-Prinzip ist darauf angelegt, dass der Körper im Tag-und-Nacht-Rhythmus seines Stoffwechsels optimal mit den jeweils wichtigen Nährstoffen versorgt wird, die er zu bestimmten Tageszeiten braucht. Außerdem kommen Sattfrühstücker vormittags weniger leicht in Versuchung, aus Heißhunger zwischendurch zu süßen und fettreichen (also insulinlockenden) Snacks zu greifen.

Eine US-amerikanische Studie aus dem Jahr 2013 hat außerdem gezeigt, dass es auf lange Sicht das Risiko von Herz-Kreislauf-Problemen erhöht, wenn man auf das Frühstücken verzichtet. So litten Männer, die ohne Frühstück in den Tag starteten, im Verlauf von 16 Jahren zu 27 Prozent häufiger an einer koronaren Herzerkrankung. Der mögliche Grund aus Sicht der Wissenschaftler: Die Probanden griffen vormittags öfter zu ungesunden Snacks wie Schokoriegeln oder auch zu Süßgetränken, sodass ihre Kalorienbilanz unter dem Strich üppiger ausfiel. Das wiederum macht auf Dauer dick und erhöht die Risikofaktoren für Herz-Kreislauf-Erkankungen, die mit verstärktem Bauchfett einhergehen (siehe S. 17).

tipp

ABNEHMTURBO

Wenn Sie besonders schnell abnehmen oder für einen Tag den Abnehmturbo einschalten möchten, dann wählen Sie ausnahmsweise ein Frühstück, das etwas weniger Kohlenhydrate und besonders viel pflanzliches Eiweiß enthält. Hierzu eignen sich vor allem das Eiweiß-Abendbrot sowie alle vegetarischen Aufstriche und Rohkostbeläge.

Satt und fit in den Tag

Für Nicht- oder Wenig-Frühstücker stellt die Morgenmahlzeit nach dem Insulin-Trennkost-Prinzip auf den ersten Blick eine echte Herausforderung dar. Denn bei Schlank im Schlaf nehmen Sie je nach persönlichem BMI zwischen 75 und 100 Gramm Kohlenhydrate in Form von Brot, Müsli oder Obst zu sich (siehe S. 16). Dabei handelt es sich in erster Linie um ballaststoffreiche, also volumenhaltige Produkte, die für eine gute Magendehnung sorgen und lange sättigen. Das können ein ganzes Baguettebrötchen (für jede gebutterte Hälfte 2 TL Konfitüre) und zwei kleine Äpfel sein – oder für Müslifrühstücker 80 g Flockenmischung und 50 g getrock-

DOS

- Passen Sie die morgendliche Kohlenhydratportion Ihrem BMI an (siehe S. 16).
- Essen Sie sich richtig satt: Schnell geht das mit Cornflakes, Müsli und Obst.
- Um Ihr Müsli anzurühren, sind Sojajoghurt, vegane Drinks (lecker: Mandel oder Hafer), verdünnte Sahne oder Orangensaft ideal.
- Tauschen Sie die Obstportionen auch mal gegen Gemüserohkost aus (z. B. Tomaten-, Gurken- oder Radieschenscheiben).
- Sie sind ein Morgenmuffel? Dann können Sie sich am Vorabend schon ein Bürofrühstück zum Mitnehmen vorbereiten.
- Und für ganz Eilige: 1 Croissant, 1 Laugenstange, 1 kleines Glas Orangensaft oder 1 Tasse Kaffee sowie 1 Apfel sind das perfekte Schlank-im-Schlaf-Frühstück to go.

nete Aprikosen, angerührt mit 150 g Sojadrink, sowie 75 g Weintrauben. Nach einem solchen Frühstück halten Sie die anschließende fünfstündige Insulinpause locker durch. Sie fühlen sich satt, aber nicht übersättigt wie nach einem Frühstück mit Aufschnitt, Käse und Eiern. Das typische Schlank-im-Schlaf-Frühstück verlangt dem Stoffwechsel am Morgen noch keine Höchstleistungen ab.

Energie für volle Leistung

Wenn Sie abends – wie es die Schlank-im-Schlaf-Methode vorsieht – eine reine Eiweißmahlzeit in Kombination mit Gemüse, Salaten und gesunden Fetten zu sich genommen haben, ist ein kohlenhydratreicher Tagesstart kein Problem. Denn nach der nächtlichen Fastenphase sind die körpereigenen Glykogenspeicher leer: Unser nachts unermüdlich arbeitendes Gehirn, das auf die Versorgung mit Traubenzucker (Glukose) angewiesen ist, hat diese im Schlaf ausgeschöpft. Deshalb hat man nach einer konsequenten Umstellung auf die Schlank-im-Schlaf-Methode und dem abendlichen Verzicht auf insulinlockende Kohlenhydrate schon nach wenigen Tagen morgens wirklich Lust auf Kohlenhydrate wie Brot, Flocken, süße Aufstriche und Obst. Der Zucker aus diesen Frühstückszutaten geht schnell ins Blut und kann beim Start in die Tagesaktivität umgehend verbrannt werden. Hände und Füße sind schön warm, Sie sind wach und leistungsfähig.

Frühstücken, worauf Sie Lust haben

Überlegen Sie sich, auf was Sie morgens Lust haben: Sind Sie eher ein Müslityp, mögen Sie es fruchtig oder pikant mit Brot, Brötchen, Croissant und Co.? Der Frühstücks-Baukasten (siehe S. 40) hilft Ihnen bei der Zusammenstellung. Das ist auch zur Vorbereitung hilfreich, wenn Sie beispielsweise Ihr Frühstück mitnehmen möchten und erst im Büro frühstücken.

DON'TS

- Verzichten Sie morgens unbedingt auf tierisches Eiweiß. Ihre Insulinrezeptoren sind noch nicht auf Tagesaktivität eingestellt.
- Milch im Kaffee: Ersatzweise können Sie Soja- oder Haferdrink verwenden, auch verdünnte Sahne ist eine gute Alternative.
- Bitte keinen Quark und Käse aufs Brot. Probieren Sie stattdessen süße und pikante vegetarische Aufstriche (die Rezepte dazu gibt's auf S. 48 ff.).
- Wurst und Schinken sowie Eier sind ebenfalls tabu.

FRÜHSTÜCKS-BAUKASTEN

Planen Sie Ihren täglichen Kohlenhydratbedarf fürs Frühstück, bevor Sie mit dem Schlank-im-Schlaf-Programm starten. Dazu berechnen Sie bitte zuerst Ihren BMI nach der Formel auf S. 16.
Frauen: Bei einem BMI < 25 gibt es morgens 75 g, bei einem BMI > 25 100 g Kohlenhydrate.
Männer: Bei einem BMI < 30 gibt es morgens 100 g, bei einem BMI > 30 125 g Kohlenhydrate. Wenn Ihr BMI dann mit der Zeit sinkt, passen Sie den Kohlenhydratbedarf entsprechend auf 75 g an. Aus welchen Zutaten Sie Ihr Müsli-, Obst- oder Brotfrühstück zusammenstellen, bleibt Ihrem Geschmack überlassen. Eine Hilfe beim Kombinieren ist unser Frühstück-Baukasten – er ist nach Kohlenhydratgehalten sortiert. Ihre Morgengetränke und Ihr Müsli können Sie nach Belieben mit etwas Honig, Agavendicksaft, Zucker oder auch Stevia süßen.

Variante 1: Müsli & Co.

Die Getreidebasis (à ca. 50 g KH)
90 g Amaranth, gepufft
90 g Quinoa, gepufft
65 g Cornflakes, ungesüßt
60 g Cornflakes, gesüßt
8 EL Flockenmischung (80 g)
8 EL Früchtemüsli, ungesüßt (85 g)
8 EL Getreideschrot (80 g)
8 EL Haferflocken, kernig (80 g)
7 EL Knuspermüsli
8 EL Mehrkornflocken (80 g)
8 EL Schokomüsli (85 g)
4 Stück Weetabix (75 g)
60 g Weizen- bzw. Dinkelpops
Trockenobst (à 20 – 25 g KH)
30 g Ananas
40 g Apfelringe
50 g Aprikosen
40 g Bananenchips
5 Datteln oder Feigen
30 g Papaya
5 Pflaumen (50 g)
30 g Rosinen

Damit wird angerührt (Säfte à 20 – 25 g KH)
200 ml Ananassaft
200 ml Apfelsaft/Multivitaminsaft
250 ml Grapefruitsaft/Sauerkirschsaft
250 ml Orangensaft
150 ml Traubensaft
3 EL Sahne = 10 g Fett
150 g Sojadrink = 2,5 g Fett
250 g Vanille-Sojadrink (ca. 15 g KH)
Nüsse (1 Portion pro Tag, wahlweise abends, à 10 g Fett)
25 g Cashewkerne (25 Stück)
2 EL Kürbiskerne
6 TL Leinsamen (30 g)
15 Haselnüsse (15 g)
15 Mandeln (20 g)
4 TL Sonnenblumenkerne (20 g)
7 Walnüsse (15 g)

Variante 2: Brotfrühstück

Brot & Gebäck (à ca. 50 g KH)
1 Baguettebrötchen (100 g)
2 Scheiben Bauernbrot (100 g)
2 große Croissants (120 g)

7 Scheiben Knäckebrot (70 g)
1 – 2 Laugenbrezeln, je nach Größe (100 g)
1 – 2 Laugenstangen, je nach Größe (100 g)
2 Milchbrötchen (100 g)
2 ½ Scheiben Mischbrot (100 g)
3 Scheiben Roggenbrot (120 g)
2 Roggenbrötchen (100 g)
2 Rosinenbrötchen (100 g)
2 ½ Scheiben Vollkornbrot (125 g)
1 ½ Vollkornbrötchen (120 g)
2 ½ Scheiben Weißbrot (100 g)
3 – 5 Scheiben Weizentoast (100 g)
2 Weizenbrötchen (100 g)
7 Scheiben Zwieback (70 g)
3 – 4 Scheiben Pumpernickel (120 g)

Süße Aufstriche (à ca. 13 g KH)

2 geh. TL Fruchtkonfitüre
2 TL Orangenmarmelade
2 TL Honig
2 TL Nuss-Nugat-Creme
2 TL Pflaumenmus
2 TL Rübenkraut

Herzhafte Aufstriche (1 EL = 10 g)

5 EL vegetarischer Brotaufstrich = 20 g Fett
2 ½ EL Butter = 20 g Fett
2 ½ EL Erdnussbutter, gesalzen = 20 g Fett
2 ½ EL Pflanzenmargarine = 20 g Fett

Dazu: frische Früchte (à ca. 13 g* bzw. 25 g KH) ...

200 g Ananas
2 kleine Äpfel
6 Aprikosen
1 mittelgroße Banane
2 kleine Birnen
250 g Beeren*
1 Grapefruit
½ kleine Honigmelone
1 ½ Kiwi*
2 – 3 Mandarinen*
1 Mango (ca. 200 g)*
1 Pfirsich*
1 große Orange*
75 g Weintrauben*

... oder Gemüserohkost (à ca. 5 g KH)

½ Kohlrabi
2 große Tomaten
½ Salatgurke
½ Paprikaschote
4 Radieschen

Getränke zum Frühstück

Wasser mit oder ohne Kohlensäure
Ingwer- oder Zitronentee
Tee (z. B. grüner Tee, schwarzer Tee, Kräuterteemischungen) mit oder ohne Zucker oder Honig
schwarzer Kaffee oder Espresso mit oder ohne Zucker
1 Tasse Kaffee mit 2 TL Sojadrink oder Kuhmilch, mit oder ohne Zucker
1 Tasse Kaffee mit 1 TL Kondensmilch oder fettarmer Sahne mit oder ohne Zucker
1 Glas Sojadrink mit oder ohne Vanille- bzw. Schokoladenaroma (bis zu ca. 20 g KH)
1 Glas Orangen-, Grapefruit-, Apfel-, Trauben- oder Ananassaft (20 – 25 g KH)

*Hinweis: Obstsorten mit * enthalten nur 13 g Kohlenhydrate, alle anderen 25 g Kohlenhydrate.*

DINKELMÜSLI
MIT BEERENJOGHURT

1 EL Pinienkerne (ca. 10 g)
1 EL Kokosraspel (ca. 5 g)
3 – 4 EL Dinkelvollkornflocken (ca. 30 g)
2 EL Weizenkeime (ca. 10 g)
200 g gemischte Beeren (frisch oder TK, aufgetaut)
1 Becher Sojajoghurt »natur« (150 g)
1 EL Honig (ca. 15 g)
¼ l Orangensaft

10 Min.

Pro Portion 528 kcal | 20 g EW | 15 g F | 75 g KH

1. Pinienkerne und Kokosraspel in einer kleinen beschichteten Pfanne ohne Fett hell rösten. Mit Flocken und Weizenkeimen mischen.

2. Die Beeren verlesen, kurz waschen und putzen. Einige Früchte zum Garnieren beiseitelegen, die übrigen mit einer Gabel zerdrücken und mit Joghurt und Honig verrühren.

3. Die Dinkelflockenmischung mit dem Joghurt anrichten und mit den ganzen Beeren garnieren. Den Orangensaft als erfrischenden Vitaminspender dazu genießen.

tipp Wenn Ihnen die Flockenmischung gut schmeckt, können Sie sie auch gleich auf Vorrat zubereiten: Dazu die Mischung einfach in ein (Schraub-)Glas füllen und gut verschließen – so ist das Frühstück an den folgenden Tagen noch schneller vorbereitet.

EXOTISCHES VOLLKORNMÜSLI

1 große Mango
1 Becher Sojajoghurt »natur« (150 g)
¼ TL Zimtpulver
1 EL Agavendicksaft
2 EL Kürbiskerne (ca. 15 g)
5 – 6 EL gemischte Getreideflocken (ca. 50 g)
2 EL Haferkleie (ca. 25 g)

10 Min.

Pro Portion 535 kcal | 24 g EW | 14 g F | 75 g KH

1. Mango schälen, das Fruchtfleisch vom Stein schneiden und mundgerecht würfeln. Joghurt mit Zimt und Agavendicksaft verrühren.

2. Die Kürbiskerne nach Belieben hacken und in einer kleinen beschichteten Pfanne ohne Fett rösten, bis sie angenehm duften. In eine Schüssel geben und mit den Getreideflocken und der Haferkleie mischen.

3. Zum Servieren die Getreidemischung in ein Schälchen füllen und erst den Sojajoghurt, dann die Mangowürfel daraufgeben.

tipp Andere Früchte sorgen für immer neue Varianten – probieren Sie statt Mango auch einmal Papaya oder Litschis. Wenn Sie lieber zu einheimischem Obst greifen möchten, sind im Sommer Him- oder Heidelbeeren und im Winter Äpfel und Birnen ideal.

BANANENCREME
MIT SCHOKOMÜSLI

1 große Banane (ca. 200 g)
1 EL Zitronensaft
100 ml Sojadrink
1 EL Honig (ca. 15 g)
4 EL lösliche Haferflocken (ca. 20 g)
4 – 5 EL Schokomüsli (ca. 40 g)
2 – 3 EL kernige Haferflocken (ca. 20 g)

10 Min.

Pro Portion 498 kcal | 14 g EW | 8 g F | 90 g KH

1. Die Banane schälen, grob zerkleinern und sofort mit dem Zitronensaft beträufeln. Nach Belieben einige Bananenscheiben beiseitelegen. Die zerkleinerten Bananen in einem hohen Rührbecher mit Sojadrink und Honig mit dem Stabmixer pürieren. Die löslichen Haferflocken ebenfalls gut untermixen.

2. Das Schokomüsli mit den kernigen Haferflocken in einem Schälchen mischen und die Bananencreme darübergeben. Mit den Bananenscheiben garnieren.

tipp Wenn es morgens ganz schnell gehen soll und Ihnen die Zubereitung der Bananencreme zu aufwendig ist, können Sie das Müsli auch einfach mit fruchtigem Sojajoghurt kombinieren – lassen Sie sich von den verschiedenen Sorten im Supermarkt inspirieren. Oder Sie nehmen Sojajoghurt »natur« und 1 oder 2 EL Konfitüre als Topping für das Müsli.

HAFERCREME
MIT ANANASSALAT

¼ Ananas (ca. 200 g Fruchtfleisch)
2 EL gehackte Pistazienkerne (ca. 10 g)
1 TL brauner Rohrzucker
3 EL Kokoschips (ca. 20 g)
5 – 6 EL zarte Haferflocken (ca. 50 g)
150 ml Orangensaft
1 EL Honig (ca. 15 g)

15 Min.

Pro Portion 600 kcal | 11 g EW | 22 g F | 86 g KH

1. Die Ananas schälen, den Strunk entfernen und das Fruchtfleisch in mundgerechte Stücke schneiden. Mit den Pistazienkernen und dem Rohrzucker mischen. Die Kokoschips in einer kleinen beschichteten Pfanne ohne Fett leicht rösten.

2. Die Haferflocken mit dem Orangensaft und dem Honig glatt rühren. Die Hafercreme in ein Schälchen füllen und die Ananas und die Kokoschips darübergeben.

tipp Morgens können Sie die Hafercreme statt mit Orangensaft auch mit Sojajoghurt oder -drink anrühren. Wenn Sie die Creme mittags als Nachtisch genießen möchten, ist herkömmlicher Joghurt ebenso geeignet wie Kuhmilch. Abends ist die Hafercreme tabu, denn sie enthält zu viele Kohlenhydrate.

FEIGENCREME
MIT PFLAUMEN

75 g getrocknete Feigen
150 g Seidentofu
1 Prise gemahlene Vanille
250 g Pflaumen
1 Vollkornbrötchen

10 Min.

Pro Portion | 548 kcal | 22 g EW | 9 g F | 93 g KH

1. Die Feigen klein schneiden und mit dem Seidentofu in einem hohen Rührbecher mit dem Stabmixer pürieren. Die Vanille dazugeben.

2. Die Pflaumen waschen, vierteln und entsteinen. Mit der Feigencreme anrichten und das Brötchen dazu genießen.

tipp Der samtige Seidentufo enthält mehr Feuchtigkeit als die gewohnten schnittfesten Tofusorten. Er lässt sich gut zu einer gleichmäßigen Creme verrühren und eignet sich deshalb bestens, um Süßes fürs Frühstück herzustellen, das ja im Rahmen von Schlank im Schlaf kein tierisches Eiweiß enthalten soll. Statt der Feigen können Sie auch andere Trockenfrüchte verwenden wie Aprikosen oder Kirschen. Kaufen Sie möglichst weiche Sorten, dann gelingt das Pürieren besonders leicht. Wenn Sie die samtig-süße Tofucreme am Abend genießen möchten, keine Kohlenhydrate (weder Obst noch Zucker) nehmen – gehackte Nüsse und etwas Stevia (Dosierung nach Packungsanweisung) sind jedoch erlaubt.

Bananencreme mit Schokomüsli

Hafercreme mit Ananassalat

Feigencreme mit Pflaumen

OBSTTELLER
MIT MELONE UND KIWI

¼ Honigmelone (ca. 200 g Fruchtfleisch)
1 Kiwi
1 Becher Sojajoghurt »natur« (150 g)
1 EL Ahornsirup (ca. 15 g)
2 EL Sonnenblumenkerne (ca. 20 g)
2 EL kernige Haferflocken (ca. 20 g)
1 EL Zucker

15 Min.

Pro Portion 516 kcal | 16 g EW | 16 g F | 75 g KH

1. Die Honigmelone entkernen und schälen, das Fruchtfleisch in schmale Spalten schneiden und auf einem Teller auslegen. Die Kiwi schälen, vierteln und zur Melone geben.

2. Den Sojajoghurt mit dem Ahornsirup verrühren. Die Sonnenblumenkerne und Haferflocken in einer kleinen beschichteten Pfanne ohne Fett rösten. Den Zucker darüberstreuen und kurz karamellisieren lassen.

3. Die Kerne und Flocken über Joghurt und Obst streuen. Den Joghurt zum Obstteller servieren oder über die Obststücke träufeln.

tipp Diese fruchtige Kombination passt auch wunderbar als Dessert nach dem Mittagessen. Dann reicht das Rezept aber für 2 Portionen, sonst wird das Essen insgesamt zu reichhaltig.

ORANGENTELLER
MIT NUSSKROKANT

3 – 4 EL Walnusskerne (ca. 20 g)
1 – 2 TL Butter (ca. 10 g)
4 – 5 EL kernige Getreideflocken (ca. 40 g)
2 EL Honig (ca. 30 g)
3 Orangen

15 Min.

Pro Portion 563 kcal | 11 g EW | 23 g F | 73 g KH

1. Die Nüsse grob hacken. Die Butter in einer kleinen Pfanne zerlassen und Nüsse und Getreideflocken darin rösten. Den Honig darüberträufeln und schmelzen lassen. Alles gut mischen und abkühlen lassen.

2. Die Orangen so schälen, dass auch die weiße Haut mit entfernt wird. Die Früchte in Scheiben schneiden und auf einem Teller auslegen. Mit dem Nusskrokant bestreuen.

tipp Bereiten Sie vom Nusskrokant doch gleich eine größere Menge zu. Der Mehraufwand ist gering, und Sie haben dann gleich bissfesten Knuspergenuss für die nächsten Tage zur Hand. Am besten in einer Dose luftdicht verschlossen aufbewahren.

ERDBEERKONFITÜRE MIT HOLUNDER

400 g Erdbeeren
1 EL Zitronensaft
200 g Gelierzucker 2 : 1
1 – 2 voll aufgeblühte Holunderblütendolden

Außerdem:
2 kleine Einmachgläser (à ca. 230 ml Inhalt)

30 Min.

Pro Portion (bei 25 Portionen à 1 EL)
40 kcal | 0 g EW | 0 g F | 9 g KH

1. Die Erdbeeren waschen, putzen, abtropfen lassen und klein schneiden. In einem Topf mit dem Zitronensaft und dem Gelierzucker mischen und mit einem Kartoffelstampfer gründlich zerdrücken.

2. Die Holunderblütendolden kurz abbrausen und sehr gut ausschütteln, damit eventuell darin sitzende Insekten entfernt werden. Die einzelnen Blüten abzupfen.

3. Die Erdbeermischung unter Rühren langsam zum Kochen bringen und ca. 4 Min. sprudelnd kochen lassen. Die Blüten dazugeben und alles nochmals aufkochen. Sofort in kochend heiß ausgespülte Einmachgläser füllen und diese verschließen.

MÖHRENGELEE MIT APRIKOSEN

100 g getrocknete Soft-Aprikosen
400 ml Möhrensaft
250 g Gelierzucker 2 : 1
1 Pck. Zitronensäure (5 g)
¼ TL gemahlene Vanille
2 EL gehackte Pistazienkerne (ca. 10 g)

Außerdem:
2 kleine Einmachgläser (à ca. 260 ml Inhalt)

30 Min.

Pro Portion (bei 30 Portionen à 1 EL)
47 kcal | 0,4 g EW | 0,2 g F | 11 g KH

1. Die Aprikosen in ein Sieb geben, mit heißem Wasser abbrausen und gut abtropfen lassen. Anschließend in kleine Würfel oder feine Streifen schneiden.

2. In einem Topf den Möhrensaft mit dem Gelierzucker, der Zitronensäure und den Aprikosen mischen. Alles unter Rühren zum Kochen bringen und ca. 4 Min. sprudelnd kochen lassen.

3. Die Vanille und die Pistazienkerne dazugeben und alles nochmals aufkochen. Sofort in kochend heiß ausgespülte Einmachgläser füllen und diese verschließen.

BIRNENKONFITÜRE
MIT MINZE

500 g aromatische Birnen
Saft von 1 Zitrone
75 ml trockener Weißwein (oder Birnensaft)
250 g Gelierzucker 2 : 1
1 – 2 Stiele Minze

Außerdem:
2 Einmachgläser (à ca. 350 ml Inhalt)

30 Min.

Pro Portion (bei 35 Portionen à 1 EL)
40 kcal | 0 g EW | 0 g F | 9 g KH

1. Die Birnen schälen, vierteln und entkernen, die Viertel in kleine Würfel schneiden. Davon 400 g abwiegen und mit Zitronensaft, Wein und Gelierzucker in einem Topf einmal aufkochen. Anschließend vom Herd nehmen und zugedeckt ca. 15 Min. ziehen lassen. Inzwischen die Minze waschen und trocken schütteln, die Blättchen abzupfen und in feine Streifen schneiden.

2. Die Birnen gut durchrühren. Unter Rühren aufkochen und ca. 4 Min. sprudelnd kochen lassen. Die Minze dazugeben und alles nochmals aufkochen. Sofort in kochend heiß ausgespülte Gläser füllen und diese verschließen.

tipp Statt Minze passt auch Zitronenmelisse – sie sorgt ebenfalls für ein erfrischendes Aroma.

Erdbeerkonfitüre mit Holunder

Möhrengelee mit Aprikosen

Birnenkonfitüre mit Minze

TÜRKISCHE WALNUSSCREME

1 kleine rote Chilischote | 75 g Walnusskerne
2 EL Semmelbrösel (ca. 15 g) | 2 EL Tomatenmark
1 EL Zitronensaft | 1 TL rosenscharfes Paprikapulver
2 TL gemahlener Kreuzkümmel
1 TL Zucker | 1 ½ TL Salz | ca. 75 ml Olivenöl

Außerdem:
2 kleine Einmachgläser (à ca. 100 ml Inhalt)
Olivenöl zum Bedecken

30 Min.

Pro Portion (bei 12 Portionen à 1 EL)
100 kcal | 1 g EW | 10 g F | 3 g KH

1. Die Chilischote längs halbieren, entkernen, waschen und sehr fein hacken. Die Nüsse im Mörser zu einer Paste zerstoßen oder mit einem scharfen Messer sehr fein hacken.

2. In einer Schüssel Chili, Walnüsse, Semmelbrösel, Tomatenmark, Zitronensaft und Gewürze mischen. So viel Öl nach und nach unterrühren, bis eine geschmeidige Creme entsteht. Die Creme pikant abschmecken.

3. Die Creme in kochend heiß ausgespülte Gläser füllen, mit etwas Öl bedecken und die Gläser verschließen. Kühl gelagert ist die Walnusscreme ca. 4 Wochen haltbar.

ZWIEBELKONFITÜRE MIT PIMENT

500 g Zwiebeln | 1 EL Olivenöl
100 g Zucker
125 ml Weißwein (oder Gemüsebrühe)
3 EL Weißweinessig
Salz | Pfeffer aus der Mühle
1 Prise gemahlener Piment

Außerdem:
2 kleine Einmachgläser (à ca. 230 ml Inhalt)

1 Std.

Pro Portion (bei 18 Portionen à 1 EL)
40 kcal | 0,3 g EW | 1 g F | 7 g KH

1. Die Zwiebeln schälen und fein würfeln. Das Öl in einem Topf erhitzen und die Zwiebeln darin unter Rühren andünsten. Den Zucker über die Zwiebeln streuen, leicht karamellisieren lassen und alles noch ca. 5 Min. garen. Dabei ab und zu umrühren.

2. Wein und Essig zu den Zwiebeln gießen und alles mit Salz, Pfeffer und Piment würzen. Die Zwiebeln zugedeckt in ca. 20 Min. weich köcheln lassen. Anschließend offen bei etwas stärkerer Hitze dicklich einkochen lassen.

3. Die Zwiebelmischung im Mixer oder in einem hohen Rührbecher mit dem Stabmixer pürieren. Die Konfitüre zurück in den Topf geben und nochmals kurz aufkochen. Sofort in kochend heiß ausgespülte Einmachgläser füllen und diese verschließen.

TOFUAUFSTRICH MIT BÄRLAUCH

40 g Pinienkerne
100 g Seidentofu
Salz | Pfeffer aus der Mühle
½ Handvoll Bärlauch
rosenscharfes Paprikapulver

10 Min.

Pro Portion 158 kcal | 9 g EW | 13 g F | 3 g KH

1. Die Pinienkerne in einer kleinen beschichteten Pfanne ohne Fett goldgelb rösten, herausnehmen und nach Belieben grob hacken.

2. Den Seidentofu in einer Schüssel mit Salz und Pfeffer verrühren und die Pinienkerne untermischen. Den Bärlauch verlesen, waschen, trocken schütteln und hacken. Unter den Tofu rühren und den Aufstrich mit dem Paprikapulver abschmecken.

tipp Bärlauch ist eines der Küchenkräuter mit der steilsten Karriere. Inzwischen müssen Sie nicht mehr im Wald auf die Suche gehen, das leicht nach Knoblauch duftende und schmeckende Grün wird gebündelt auch auf Märkten angeboten. Leider ist die Saison kurz. Wenn Sie Bärlauch lieben und auf Vorrat zu Hause haben möchten, sollten Sie frische Blätter fein hacken, auf einem Tablett einfrieren und dann in Gefrierdosen oder -beutel verpacken. So können Sie monatelang jederzeit die gewünschte Menge zum Würzen entnehmen.

WÜRZIGE APFELCREME

1 aromatischer Apfel (z. B. Cox Orange)
1 EL Zitronensaft
1 TL Ras-el-Hanout (siehe Tipp)
100 g Seidentofu
2 EL kleine Rosinen
1 EL Mandelstifte
Salz | Pfeffer aus der Mühle

10 Min.

Pro Portion 140 kcal | 5 g EW | 6 g F | 16 g KH

1. Den Apfel schälen, vierteln, entkernen und die Viertel grob raspeln. Die Apfelraspel sofort mit dem Zitronensaft beträufeln und mit Ras-el-Hanout und Seidentofu verrühren.

2. Die Rosinen etwas kleiner schneiden. Die Mandelstifte in einer kleinen beschichteten Pfanne ohne Fett rösten, herausnehmen und nach Belieben grob hacken. Rosinen und Mandeln unter die Apfelcreme rühren, die Creme mit Salz und Pfeffer abschmecken.

tipp Ras-el-Hanout ist eine in Marokko und anderen arabischen Ländern sehr beliebte Gewürzmischung, die aus bis zu 20 verschiedenen Zutaten bestehen kann, darunter Pfeffer, Ingwer, Muskat, Zimt, Kurkuma, Kardamom und Piment. Auch Chilischoten dürfen nicht fehlen. Ersatzweise können Sie für dieses Rezept Currypulver verwenden.

TOFUCREME
»CAPRESE«

½ Bund Basilikum
100 g Seidentofu
6 – 8 weiche getrocknete Snack-Tomaten
Salz | Pfeffer aus der Mühle
1 EL Olivenöl
2 EL Aceto balsamico

15 Min.

Pro Portion 90 kcal | 4 g EW | 7 g F | 2 g KH

1. Das Basilikum waschen und trocken schütteln, die Blättchen abzupfen und mit dem Seidentofu mit dem Stabmixer pürieren.

2. Die Tomaten in kleine Würfel schneiden und unter die Basilikumcreme rühren. Die Creme mit Salz und Pfeffer abschmecken. Öl und Essig nach Belieben unterrühren oder zum Servieren über die Creme träufeln.

tipp Der Klassiker Insalata Caprese, also die Kombination aus Tomaten, Mozzarella und Basilikum, stand Pate für dieses Rezept. Da im Rahmen von Schlank im Schlaf Mozzarella ebenso wie Joghurt und Quark zum Frühstück tabu ist, wird die herzhafte Creme mit Seidentofu zubereitet.

Tofuaufstrich mit Bärlauch

Würzige Apfelcreme

Tofucreme »Caprese«

»HAPPY HOUR«: BEIM MITTAGESSEN GEHT ALLES!

Nach Ihrem kohlenhydratreichen Frühstück haben Sie die fünfstündige Insulinpause bis zum Mittagessen sicher problemlos durchgehalten. Falls Ihnen die Umstellung auf den Schlank-im-Schlaf-Rhythmus anfangs zu schaffen macht, weil Sie es bislang gewohnt waren, immer mal zwischendurch zu snacken oder etwas Süßes zu trinken, hilft Ihnen der Notfallkoffer (siehe Kasten). Hier finden Sie Tipps, wie Sie Heißhungerattacken stillen können, ohne Insulinspitzen zu verursachen. Auf diese »Nothelfer« können Sie auch nachmittags zugreifen, falls Ihnen etwas flau werden sollte.

ZURÜCK ZUM BIO-RHYTHMUS

Nehmen Sie auf jeden Fall reichlich kalorienfreie Getränke zu sich. Ideal sind Mineralwasser und aromatisiertes Wasser, aber auch schwarzer oder Kräutertee, Latte macchiato, Cappuccino, schwarzer Kaffee und Espresso, alles natürlich ohne Zuckerzusatz. Nach der Umstellung auf die Schlank-im-Schlaf-Methode werden Sie die Essenspausen nicht mehr als störend empfinden. Der natürliche Mahlzeitenrhythmus – wie ihn unser biologisches Programm ursprünglich vorsieht – funktioniert dann wieder, und das

NOTFALLKOFFER

Wenn alle guten Vorsätze nichts nützen und Sie zwischen den Mahlzeiten doch etwas zu essen brauchen, hilft es, einen Notfallvorrat an kleinen Eiweiß-Snacks im Kühlschrank, in der Handtasche oder in der Schreibtischschublade zu haben. So sind Sie schnell wieder satt und zufrieden, ohne Ihrem Körper zu viele Kalorien zuzuführen.

- 1 hart gekochtes Ei, nach Belieben pur oder mit Salz bestreut, wirkt unmittelbar gegen Heißhunger.
- 1 – 2 Scheiben magerer Kochschinken
- 1 Becher Hüttenkäse (200 g), nach Belieben mit Süßstoff oder Stevia (Dosierung nach Packungsanweisung) oder mit Gewürzen bzw. Kräutern aromatisiert
- 1 Becher Ayran (leicht gesalzenes Joghurtgetränk) aus der Kühltheke im Supermarkt: praktisch für unterwegs
- 1 Harzer Käse (100 g), z. B. mit Essig-Öl-Zwiebel-Dressing oder mit Senf
- 1 Becher Magerquark (250 g)
- Gemüserohkost (z. B. Gurkenscheiben, Tomaten oder Paprikastreifen)
- 12 – 15 grüne Oliven
- 5 Nüsse (v. a. Mandeln oder Paranüsse)
- klare Gemüse-, Geflügel- oder Fleischbouillon (gibt es körnig oder als Paste), nach Belieben mit ein paar blättrig geschnittenen Champignons oder einem rohen verquirlten Ei angereichert
- Eiweißriegel (kann man auch bestellen, siehe S. 174)
- 1 Dose Thunfisch (im eigenen Saft)
- ebenfalls hilfreich: 1 großes Glas Wasser oder 1 Tasse ungesüßter Tee

DOS

- Richten Sie die komplette Portion auf Ihrem Teller an. Sie werden staunen, was Sie alles essen dürfen.
- Wasser und ungesüßter Tee sind die perfekten Durstlöscher – egal, ob zum Essen oder für zwischendurch.
- Wertvolle Öle sind wichtige Komponenten der Schlank-im-Schlaf-Ernährung. Gönnen Sie sich ein richtig gutes natives Olivenöl oder kalt gepresstes Rapsöl für Ihren Salat.
- Das optimale Zeitfenster für Ihr Schlank-im-Schlaf-Mittagessen ist zwischen 11 und 14 Uhr. Sie können theoretisch bis 16 Uhr zu Mittag essen, dann wird es allerdings für die Abendmahlzeit sehr spät.
- Nehmen Sie eine kleine Auszeit nach dem Essen und machen Sie einen Spaziergang um den Block oder durch den Park.

sogar nach jahrelanger Gewöhnung an Dauerfuttern. Sie werden sich wundern, wie schnell die Umstellung gelingt.

Der optimale Nährstoffmix

Ihr Körper ist mittags auf Aktivität eingestellt, dafür sorgen die normalen Alltagsaktivitäten sowie die körpereigene Produktion der entsprechenden Botenstoffe. Jetzt verarbeitet der Körper bevorzugt Kohlenhydrate im Mix mit Eiweiß und (gesunden) Fetten. Überschüssige Glukose aus stärkehaltigen Beilagen wie Kartoffeln, Nudeln und Backwaren wird in Form von Glykogen für später in den Körperzellen gespeichert. Sind auch diese Speicher voll, werden Fettdepots aufgebaut, indem der Zucker in den Fettzellen eingelagert wird. Insulin hat auch hier eine fördernde Wirkung. Darum sollte man beim Mittagessen hohe Insulinspitzen vermeiden – was durch die Kombination von Kohlenhydraten mit Fett leicht gelingt.

Perfekt dosiert

Die für Sie richtige Kohlenhydratmenge errechnet sich aus Ihrem BMI (siehe S. 16; sie ist genauso hoch wie beim Frühstück). Bei den Rezepten haben wir uns fast immer am höheren Bedarf von 100 Gramm Kohlenhydraten orientiert. Die Nährwerte pro Portion sind bei jedem Rezept angegeben. Sollte Ihr Kohlenhydratbedarf bei 75 Gramm liegen, passen Sie die Menge, die Sie essen, bitte entsprechend an: Essen Sie entweder etwa ein Viertel des Gerichts weniger. Oder nehmen Sie einfach nur weniger Kohlenhydrate – die Berechnung ist dank der Tabellen im Buch (siehe S. 164 ff.) ganz leicht. Für mehr Kohlenhydrate gehen Sie genau entgegengesetzt vor. Und wenn Sie mal einen Tag nicht im Mahlzeitenrhythmus bleiben können, lassen Sie am nächsten Tag auch mittags mal die Kohlenhydrate weg.

DON'TS

- Zeitung und Fernseher stören beim Essen: Sie merken dann nicht, wann Sie satt sind.
- Hektik: Wenn Sie langsam essen, essen Sie nicht über Ihre persönliche Sättigungsgrenze hinaus. Es dauert etwa 20 Minuten, bis das Signal »Ich bin satt« im Hungerzentrum angekommen ist.
- Gesüßte Getränke und Desserts sind zum Mittagessen im Prinzip erlaubt. Die darin enthaltene Kohlenhydratmenge muss jedoch zu der Kohlenhydratmenge Ihrer Mittagsmahlzeit dazugerechnet werden.

SCHLANK IM SCHLAF TO GO

2 große Körnerbrötchen

+

2 Frikadellen

+

1 großer gesüßter Cappuccino

650 kcal
35 g EW
28 g F
92 g KH

2 Butterlaugenbrezeln

+

200 g Vanillemilchreis

+

1 Glas Apfelschorle (200 ml)

710 kcal
14 g EW
23 g F
108 g KH

12 Stück Sushi (Lachs-Maki)

+

400 g Obstsalat

600 kcal
18 g EW
8 g F,
96 g KH

1 großes Puten-Sandwich

+

1 Smoothie (¼ l)

635 kcal
36 g EW
14 g F
95 g KH

1 Döner Kebab

+

1 großer Apfel

800 kcal
30 g EW
32 g F
100 g KH

MITTAGESSEN OHNE KOCHEN

2 Baked Potatoes mit Quarkdip

\+

1 Schale Erdbeeren (250 g)

650 kcal
22 g EW
12 g F
110 g KH

1 Portion Bratreis mit Huhn

\+

2 Kugeln Milcheis

800 kcal
38 g EW
34 g F
90 g KH

1 Roastbeef-Rucola-Bagel

\+

6 Butterkekse

\+

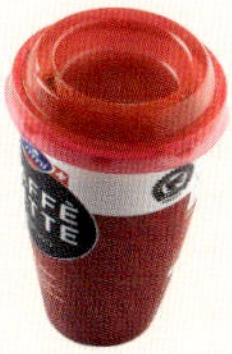

1 Milchkaffee

660 kcal
27 g EW
25 g F
85 g KH

1 Hamburger

\+

1 Schale Salat (Kräuterdressing)

\+

1 große Apfelschorle (½ l)

550 kcal
17 g EW
20 g F
70 g KH

200 g Kartoffelsalat (Essig/Öl)

\+

150 g gebrat. Hähnchenbrust

\+

1 Wassereis

551 kcal
38 g EW
18 g F
40 g KH

FRUCHTIGES
PUTEN-SANDWICH

2 flache Putenschnitzel (à ca. 125 g)
1 EL Rapsöl
Salz | Pfeffer aus der Mühle | Currypulver
1 fester säuerlicher Apfel (z. B. Boskop)
1 EL Zitronensaft
100 g blaue kernlose Weintrauben
100 g fettarmer Frischkäse (5 % Fett)
2 große Ciabattabrötchen (à ca. 90 g)
4 Salatblätter | 100 g Müslikekse

25 Min.

Pro Portion 735 kcal | 48 g EW | 22 g F | 86 g KH

1. Die Putenschnitzel abbrausen und trocken tupfen. Das Öl in einer beschichteten Pfanne erhitzen und die Schnitzel darin auf jeder Seite ca. 3 Min. braten. Mit Salz, Pfeffer und Currypulver würzen. Abkühlen lassen.

2. Den Apfel waschen, vierteln und entkernen. Die Viertel in dünne Spalten schneiden und sofort mit dem Zitronensaft beträufeln. Die Weintrauben waschen, in kleine Würfel schneiden und mit dem Frischkäse verrühren. Mit Salz und Pfeffer abschmecken.

3. Die Brötchen halbieren und die Hälften mit dem Traubenfrischkäse bestreichen. Die Salatblätter waschen, trocken tupfen und darauflegen. Die Schnitzel und die Apfelspalten auf die unteren Brötchenhälften geben und die oberen Hälften daraufsetzen. Die Müslikekse als Nachtisch knabbern – nach Belieben zu 1 großen Becher Milchkaffee.

ZWEIERLEI
KÄSE-BAGELS

4 Bagels (à ca. 85 g, oder Baguettebrötchen)
200 g fettarmer Frischkäse (5 % Fett)
einige Salatblätter (z. B. Frisée oder Eichblatt)
1 Rolle Harzer Käse (200 g)
1 kleine rote Zwiebel
1 TL Kümmelsamen | Pfeffer aus der Mühle
2 Scheiben würziger Käse (z. B. Bergkäse, à ca. 20 g)
4 Radieschen | edelsüßes Paprikapulver

25 Min.

Pro Portion 713 kcal | 61 g EW | 13 g F | 89 g KH

1. Die Bagels aufschneiden und nach Belieben toasten. Alle acht Hälften mit dem Frischkäse bestreichen. Die Salatblätter waschen und trocken tupfen, eventuell etwas kleiner zupfen und auf den Bagels verteilen.

2. Den Harzer Käse in Scheiben schneiden. Die Zwiebel schälen, erst in Scheiben schneiden, dann in Ringe teilen. Zwei der unteren Bagel-Hälften mit Harzer und Zwiebelringen belegen und mit Kümmel und Pfeffer bestreuen. Dann die oberen Hälften daraufsetzen und leicht andrücken.

3. Die Käsescheiben auf die restlichen unteren Bagel-Hälften legen. Die Radieschen putzen, gut waschen und in dünne Scheiben schneiden. Auf dem Käse verteilen und mit Paprikapulver würzen. Die oberen Bagel-Hälften daraufsetzen und leicht andrücken.

TRAMEZZINI
MIT TOAST UND PUMPERNICKEL

1 Handvoll Rucola
1 orangefarbene Paprikaschote
8 Scheiben Vollkorn-Sandwich-Toastbrot
4 Scheiben Pumpernickel (à ca. 75 g)
150 g Kräuterquark (20 % Fett)
50 g Hähnchenbrustaufschnitt
(in dünnen Scheiben)
4 EL Ajvar (türk. Paprikacreme)
50 g roher Räucherschinken (in dünnen Scheiben)
Pfeffer aus der Mühle

20 Min.

Pro Portion 790 kcal | 46 g EW | 12 g F | 119 g KH

1. Den Rucola verlesen, waschen und trocken schütteln, dabei grobe Stiele entfernen. Die Paprikaschote längs halbieren, entkernen, waschen und in schmale Streifen schneiden.

2. Das Toastbrot auf die Größe der Pumpernickelscheiben zuschneiden. Vier Toastscheiben mit der Hälfte des Kräuterquarks bestreichen und mit Rucola, einigen Paprikastreifen und Hähnchenaufschnitt belegen.

3. Die Pumpernickelscheiben mit Ajvar bestreichen und mit der bestrichenen Seite auf das Hähnchen legen. Die Oberseiten des Pumpernickels ebenfalls mit Ajvar bestreichen.

4. Dann den Räucherschinken darauflegen und mit Pfeffer würzen. Die übrigen Toastscheiben mit dem restlichen Kräuterquark bestreichen und mit der bestrichenen Seite auf den Schinken legen. Die Sandwiches leicht andrücken und diagonal halbieren. Zum Mitnehmen fest in Frischhaltefolie verpacken.

tipp Andere Vorlieben, andere Ideen? Bestens, denn nach diesem Grundrezept können Sie auch andere Sandwiches zubereiten. Die Mengen bei Brot, Aufstrich und Belag dienen als Orientierung und können gerne ein wenig nach oben oder unten abweichen. Achten Sie bei den verwendeten Zutaten aber unbedingt auf den Fettgehalt – damit das Essen nicht zu üppig und kalorienreich ausfällt.

VEGGIE-STULLEN
MIT RÄUCHERTOFU

4 dicke Scheiben Vollkornbrot (à ca. 75 g)
1 kleine Knoblauchzehe
2 EL weiche Butter (oder Margarine)
2 kleine Stauden Chicorée
1 Orange
200 g Räuchertofu
4 – 5 Stiele glatte Petersilie
Salz | Pfeffer aus der Mühle
rosenscharfes Paprikapulver

25 Min.

Pro Portion 530 kcal | 24 g EW | 18 g F | 67 g KH

1. Die Brotscheiben nach Belieben toasten. Den Knoblauch schälen und die Brotscheiben damit einreiben. Dann die Brote mit Butter bestreichen.

2. Den Chicorée putzen und in einzelne Blätter teilen (dabei den Strunk entfernen), waschen und trocken schleudern. Die Orange so schälen, dass auch die weiße Haut mit entfernt wird, dann in dünne Scheiben schneiden. Den Räuchertofu ebenfalls in Scheiben schneiden. Die Petersilie waschen, trocken schütteln und die Blättchen abzupfen.

3. Die Chicoréeblätter flach drücken und mit Tofu- und Orangenscheiben sowie Petersilie auf 2 Brote geben. Mit Salz, Pfeffer und Paprikapulver würzen. Die übrigen Brotscheiben mit der Butter nach unten darauflegen und leicht andrücken.

WRAPS
MIT CORNED BEEF

100 g fettarmer Frischkäse (5 % Fett)
3 EL Grillsauce (oder Ketchup)
Salz | Pfeffer aus der Mühle
rosenscharfes Paprikapulver
2 Stangen Staudensellerie
1 rote Spitzpaprikaschote
einige Blätter Eisbergsalat
4 Tortillafladen (Fertigprodukt, ca. 200 g)
100 g Corned Beef (in dünnen Scheiben)
4 dünne Scheiben Käse (ca. 100 g) | 2 große Birnen

25 Min.

Pro Portion 689 kcal | 40 g EW | 23 g F | 78 g KH

1. Den Frischkäse in einer kleinen Schüssel mit der Grillsauce verrühren und mit Salz, Pfeffer und Paprikapulver würzen. Den Sellerie putzen, waschen, quer halbieren und längs in schmale Streifen schneiden. Die Paprika längs halbieren, entkernen, waschen und längs in schmale Streifen schneiden. Salat waschen, trocken schleudern, in Streifen schneiden.

2. Die Tortillafladen ausbreiten, nach Belieben nach Packungsanweisung leicht erwärmen. Mit dem Frischkäse bestreichen, mit Corned Beef und Käse belegen und Sellerie-, Paprika- und Salatstreifen darauf verteilen.

3. Den unteren Rand der Tortillafladen nach oben über die Füllung schlagen und die Fladen von einer Seite her aufrollen. Zum Mitnehmen die Wraps fest in Frischhaltefolie wickeln. Die Birnen waschen und anschließend als Nachtisch essen.

NUDELSALAT
MIT TOMATEN

Salz | 250 g Penne
150 g Kirschtomaten
½ Bund Frühlingszwiebeln
150 g Hähnchenbrustaufschnitt
(in dünnen Scheiben)
3 – 4 Stiele Basilikum
2 EL Olivenöl
250 g fettarmer Joghurt (1,5 % Fett)
Pfeffer aus der Mühle

30 Min.

Pro Portion 681 kcal | 40 g EW | 15 g F | 100 g KH

1. In einem Topf reichlich Salzwasser aufkochen und die Penne darin nach Packungsanweisung bissfest garen. In ein Sieb abgießen, kalt abschrecken und abtropfen lassen.

2. Inzwischen die Tomaten waschen und halbieren. Die Frühlingszwiebeln putzen, waschen und in feine Ringe schneiden. Den Hähnchenaufschnitt in Streifen schneiden.

3. Das Basilikum waschen und trocken schütteln, die Blättchen abzupfen und grob hacken. Mit dem Öl und dem Joghurt verrühren und das Dressing mit Salz und Pfeffer würzen. Die Nudeln mit Tomaten, Frühlingszwiebeln und Hähnchenaufschnitt in einer Schüssel mischen und mit dem Dressing marinieren.

MÖHRENSALAT
MIT BIRNEN

400 g Möhren | Salz
1 TL Zucker | 50 g Rosinen
2 große, feste Birnen
2 EL Zitronensaft
4 EL Obstessig (z. B. Apfelessig)
1 TL gemahlener Kardamom
Pfeffer aus der Mühle
3 EL Olivenöl
4 Baguettebrötchen (à ca. 60 g)

25 Min.

Pro Portion 613 kcal | 14 g EW | 15 g F | 104 g KH

1. Die Möhren schälen und in Scheiben schneiden. In einem Topf wenig Salzwasser aufkochen und die Möhren darin zugedeckt ca. 5 Min. dünsten, dabei auch den Zucker in das Kochwasser geben. Die Möhren in ein Sieb abgießen und sehr gut abtropfen lassen.

2. Die Rosinen in ein Sieb geben, heiß abbrausen und gut abtropfen lassen. Die Birnen waschen, vierteln und entkernen. Die Viertel quer in Scheiben schneiden und sofort mit dem Zitronensaft beträufeln.

3. In einer Schüssel den Essig mit Kardamom, Salz und Pfeffer verrühren und das Öl gründlich unterschlagen. Möhren, Rosinen und Birnen mit dem Dressing mischen und den Salat nochmals abschmecken. Mit den Brötchen als Beilage servieren.

HERBSTLICHER PASTINAKENKUCHEN

Für den Teig:
150 g Weizenmehl (Type 1050)
¾ TL Backpulver
125 g Magerquark
1 TL Salz
2 EL Öl

Für den Belag:
1 Bund Frühlingszwiebeln
1 kleine rote Zwiebel
350 g Pastinaken
1 TL Öl
2 Eier
200 ml Milch
1 Prise Chilipulver
Salz | Pfeffer aus der Mühle
2 EL Röstzwiebeln (Fertigprodukt)

Außerdem:
1 quadratische Gratinform (ca. 20 cm)
Öl für die Form
Mehl für die Arbeitsfläche
2 Nektarinen als Nachtisch

45 Min. + 35 Min. Backen

Pro Portion 750 kcal | 33 g EW | 25 g F | 93 g KH

1. Für den Teig Mehl und Backpulver mischen und mit Quark, Salz, Öl und 1–2 EL kaltem Wasser zu einem glatten Teig verkneten. Zugedeckt ca. 20 Min. ruhen lassen.

2. Inzwischen für den Belag die Frühlingszwiebeln putzen, waschen und in feine Ringe schneiden. Die Zwiebel schälen und ebenfalls in feine Ringe schneiden. Die Pastinaken schälen und grob raspeln. Das Öl in einer Pfanne leicht erhitzen und das vorbereitete Gemüse darin unter Rühren 5–6 Min. garen.

3. Den Backofen auf 200° vorheizen, die Form mit Öl fetten. Den Teig auf der leicht bemehlten Arbeitsfläche ausrollen (ca. 22 x 22 cm), in die Form legen und dabei einen Rand formen. Die Ränder dürfen ruhig etwas ungleichmäßig überstehen.

4. Die Gemüsemischung auf dem Teig verteilen. Die Eier mit Milch, Chili, Salz und Pfeffer verquirlen und über das Gemüse geben. Die Röstzwiebeln aufstreuen und den Kuchen im Ofen (Mitte) ca. 35 Min. backen. Herausnehmen und vor dem Anschneiden kurz abkühlen lassen. Die Nektarinen waschen und als Nachtisch genießen.

tipp Wenn Sie die leicht süßlichen Pastinaken nicht bekommen, können Sie ersatzweise Petersilienwurzeln oder auch Möhren verwenden.

ERBSEN-QUICHE
MIT JOGHURTGUSS

1 Pck. Pizzateig (aus dem Kühlregal, ca. 400 g)
300 g TK-Erbsen
3 Frühlingszwiebeln
5 in Marinade eingelegte, getrocknete Tomaten
½ Bio-Zitrone
125 g Joghurt | 3 Eier
Salz | Pfeffer aus der Mühle

Außerdem:
1 Quicheform (ca. 24 cm Durchmesser)

20 Min. + 20 Min. Backen

Pro Portion 760 kcal | 34 g EW | 21 g F | 101 g KH

1. Den Backofen auf 200° vorheizen. Den Teig auseinanderrollen, in die Form legen und dabei einen Rand formen. Überstehenden Teig abschneiden und beiseitelegen.

2. In einem Topf Wasser aufkochen, Erbsen darin ca. 5 Min. köcheln lassen, dann in ein Sieb abgießen und abtropfen lassen. Frühlingszwiebeln putzen, waschen und in feine Ringe schneiden. Tomaten abtropfen lassen und klein schneiden. Alles auf dem Teig verteilen.

3. Die Zitrone heiß waschen, abtrocknen und die Schale fein abreiben. Mit Joghurt und Eiern verrühren. Den Guss salzen, pfeffern und über dem Gemüse verteilen.

4. Die Teigreste zu dünnen Bändern rollen und diagonal als Gitter auf die Quiche legen. Die Erbsen-Quiche im Ofen (Mitte) in ca. 20 Min. goldgelb backen.

RUCOLA-PIZZA
MIT SCHINKEN

1 Pck. Pizzateig (aus dem Kühlregal, ca. 400 g)
2 EL Tomatenmark
1 Kugel fettarmer Mozzarella (ca. 125 g)
2 TL Pizzagewürz (oder getrockneter Oregano)
Salz | Pfeffer aus der Mühle
2 EL Olivenöl | 1 Bund Rucola
50 g Parmaschinken (oder anderer magerer Rohschinken, in dünnen Scheiben)
2 EL Aceto balsamico

30 Min. + 15 Min. Backen

Pro Portion 770 kcal | 36 g EW | 29 g F | 91 g KH

1. Den Backofen auf 225° vorheizen. Den Teig auseinanderrollen, quer halbieren oder zu großen Fladen formen und mit dem Backpapier auf ein Backblech setzen. Jeweils rundum einen schmalen Teigrand formen.

2. Den Teig mit dem Tomatenmark bestreichen. Den Mozzarella würfeln und auf den Pizzas verteilen. Mit Pizzagewürz, Salz und Pfeffer würzen. Die Pizzas mit dem Öl beträufeln und im Ofen (unten) 12 – 15 Min. backen.

3. Inzwischen den Rucola verlesen, waschen und trocken schütteln. Grobe Stiele entfernen und die Blätter nach Belieben etwas kleiner schneiden. Den Schinken grob in Stücke teilen. Die fertigen Pizzas aus dem Ofen nehmen und mit dem Rucola und dem Schinken belegen. Zuletzt den Essig darüberträufeln.

MEDITERRANER CIABATTA-TOAST

1 Ciabattabrot (zum Aufbacken, ca. 300 g)
1 kleine Knoblauchzehe
150 g fettarmer Frischkäse (5 % Fett)
1 EL Tomatenmark
Salz | Pfeffer aus der Mühle
100 g Parmaschinken (oder anderer magerer Rohschinken, in dünnen Scheiben)
4 Tomaten | 2 Schalotten
70 g geriebener Pizzakäse
1 TL Pizzagewürz (oder getrockneter Majoran)

30 Min. + 15 Min. Backen

Pro Portion 730 kcal | 45 g EW | 26 g F | 81 g KH

1. Den Backofen auf 200° vorheizen. Das Ciabattabrot längs halbieren. Den Knoblauch schälen, durchpressen und mit Frischkäse, Tomatenmark, Salz und Pfeffer verrühren.

2. Die Brothälften mit dem gewürzten Frischkäse bestreichen und den Parmaschinken darauf verteilen.

3. Die Tomaten waschen und in Scheiben schneiden, dabei die Stielansätze entfernen. Die Schalotten schälen und ebenfalls in Scheiben schneiden. Tomaten und Schalotten auf den Brothälften verteilen, den Käse und das Pizzagewürz darüberstreuen.

4. Die Brote auf ein Backblech setzen und im Ofen (Mitte) in ca. 15 Min. goldgelb backen, bis der Käse geschmolzen ist.

KARTOFFELTOPF
MIT RICOTTA UND KAPERN

½ – 1 Bund Suppengemüse
1 große Zwiebel | 700 g festkochende Kartoffeln
1 EL Olivenöl | 1 Knoblauchzehe
½ l Gemüsebrühe
2 – 3 EL Tomatenmark
2 TL getrockneter Majoran
20 g Kapern | 250 g Ricotta
Salz | Pfeffer aus der Mühle
etwas abgeriebene Schale von 1 Bio-Zitrone
500 g Erdbeeren

2 Personen | 35 Min.

Pro Portion 606 kcal | 25 g EW | 19 g F | 78 g KH

1. Das Suppengemüse putzen, schälen bzw. waschen und in möglichst kleine Würfel schneiden. Die Zwiebel schälen und grob würfeln. Die Kartoffeln schälen, waschen und ebenfalls in Würfel schneiden.

2. Das Öl in einem Topf erhitzen, das Suppengemüse und die Zwiebelwürfel darin anbraten. Knoblauch schälen und dazupressen. Die Kartoffeln hinzufügen und alles mit der Brühe ablöschen. Tomatenmark, Majoran und Kapern dazugeben, alles aufkochen und zugedeckt ca. 20 Min. köcheln lassen.

3. Inzwischen den Ricotta cremig rühren und mit Salz und Pfeffer würzen. Den Kartoffeltopf ebenfalls mit Salz und Pfeffer abschmecken und zuletzt die Ricottacreme und die Zitronenschale darübergeben. Die Erdbeeren waschen, putzen und als Nachtisch genießen.

KÜRBIS-KARTOFFEL-RAGOUT
MIT SCHAFSKÄSE

600 g festkochende Kartoffeln
Salz
½ Hokkaido-Kürbis (ca. 600 g)
2 Petersilienwurzeln
1 Bund glatte Petersilie
40 g Kürbiskerne
125 ml Gemüsebrühe
Pfeffer aus der Mühle
¼ TL gemahlener Ingwer
100 g fettarmer Schafskäse (Feta »light«)
400 g fettarmer Früchtequark

30 Min.

Pro Portion 818 kcal | 38 g EW | 25 g F | 104 g KH

1. Die Kartoffeln schälen, waschen und in Spalten oder Würfel schneiden. Zugedeckt in wenig Salzwasser ca. 20 Min. garen.

2. Inzwischen den Kürbis waschen, halbieren und Kerne und Fasern herauskratzen. (Die Schale kann beim Hokkaido-Kürbis mitgegessen werden.) Den Kürbis erst in Spalten, dann quer in 1 – 2 cm breite Scheiben schneiden. Die Petersilienwurzeln schälen und ebenfalls in dicke Scheiben schneiden.

3. Die Petersilie waschen und trocken schütteln, die Blättchen abzupfen und fein hacken. Die Kürbiskerne nach Belieben grob hacken.

4. Die Kürbiskerne in einem breiten Topf ohne Fett leicht anrösten. Den Kürbis und die Petersilienwurzeln dazugeben und kurz anbraten, dann mit der Brühe ablöschen. Alles zugedeckt ca. 10 Min. köcheln lassen.

5. Die Petersilie und die Kartoffeln zum Kürbis geben und das Ragout mit Salz, Pfeffer und Ingwer abschmecken. Zuletzt den Schafskäse darüberbröckeln. Den Früchtequark als süßen Abschluss löffeln.

tipp Statt der Kürbiskerne können Sie ebenso gut Mandelstifte oder Pinienkerne verwenden. Die Petersilienwurzeln lassen sich durch Möhren oder Kohlrabi ersetzen, auch Knollensellerie passt und sorgt für eine ganz eigene Note.

PFANNKUCHEN
MIT GRÜNEM SPARGEL

125 g Weizenmehl (Type 1050)
3 Eier
125 ml Mineralwasser (mit Kohlensäure)
Salz
500 g grüner Spargel
4 Stiele Estragon
30 g Butter
Pfeffer aus der Mühle
2 Becher fettarmer Fruchtjoghurt
(à 150 g, 1,5 % Fett)

30 Min. + 30 Min. Ruhen

Pro Portion 630 kcal | 30 g EW | 25 g F | 70 g KH

1. In einer Schüssel Mehl, Eier, Mineralwasser und ½ TL Salz mit dem Schneebesen zu einem glatten Teig verrühren. Den Teig zugedeckt ca. 30 Min. ruhen lassen.

2. Inzwischen den Spargel waschen, im unteren Drittel schälen und die Enden abschneiden. Die Stangen in Stücke schneiden. Den Estragon waschen und trocken schütteln, die Blättchen abzupfen und fein hacken. Die Butter in einer großen Pfanne zerlassen und den Spargel darin bei mittlerer Hitze ca. 5 Min. braten. Gegen Ende den Estragon dazugeben und den Spargel mit Salz und Pfeffer würzen.

3. Den Pfannkuchenteig gleichmäßig über den Spargel gießen und bei schwacher Hitze ca. 5 Min. backen. Dann vorsichtig wenden und in ca. 5 Min. fertig backen. Den Fruchtjoghurt als Nachtisch löffeln.

PFANNENTOFU
MIT ROTER BETE

250 g Zartweizen (z. B. Ebly)
Salz
500 g gegarte Rote Beten (vakuumverpackt)
2 TL geriebener Meerrettich (frisch oder aus dem Glas)
Pfeffer aus der Mühle
400 g gewürzter Tofu (z. B. italienische Art, oder Lupinenfilet)
2 EL Olivenöl
½ Kästchen Gartenkresse

30 Min.

Pro Portion 520 kcal | 27 g EW | 21 g F | 59 g KH

1. Den Weizen in Salzwasser nach Packungsanweisung in 10 – 15 Min. weich garen. Inzwischen die Roten Beten abtropfen lassen und achteln (dabei am besten Einweghandschuhe verwenden). In einem kleinen Topf zugedeckt ca. 5 Min. erwärmen. Mit Meerrettich, Salz und Pfeffer würzen und warm halten.

2. Tofu in ca. 1 cm dicke Scheiben schneiden. Das Öl in einer großen beschichteten Pfanne erhitzen und den Tofu darin von beiden Seiten goldbraun anbraten. Mit Salz und Pfeffer kräftig würzen.

3. Den Zartweizen bei Bedarf in ein Sieb abgießen und gut abtropfen lassen. Die Kresse vom Beet schneiden und mit dem Zartweizen mischen. Den Kresseweizen mit Roten Beten und Pfannentofu anrichten.

KRÄUTERPUFFER
MIT QUARKCREME

2 Frühlingszwiebeln
1 Bund gemischte Kräuter (z. B. Kerbel, Basilikum, Schnittlauch)
150 g Joghurt
250 g Magerquark
Salz | Pfeffer aus der Mühle
500 g Petersilienwurzeln
500 g vorwiegend festkochende Kartoffeln
½ Bund glatte Petersilie
3 Eier | 2 EL Sojaöl

30 Min.

Pro Portion 680 kcal | 46 g EW | 25 g F | 64 g KH

1. Die Frühlingszwiebeln putzen und waschen, erst längs in Streifen, dann quer in möglichst feine Stücke schneiden. Die Kräuter waschen und trocken schütteln, die Blättchen abzupfen und fein hacken. Alles mit Joghurt und Quark verrühren und die Quarkcreme mit Salz und Pfeffer abschmecken.

2. Petersilienwurzeln und Kartoffeln schälen und grob raspeln. Die Petersilie waschen und trocken schütteln, die Blättchen abzupfen und fein hacken. Petersilienwurzeln, Kartoffeln und Petersilie mit den Eiern gut mischen und mit Salz und Pfeffer würzen.

3. Wenig Öl in einer großen beschichteten Pfanne erhitzen, die Eiermasse esslöffelweise hineingeben und braten. Die Puffer erst wenden, wenn die Unterseite goldbraun ist. Bei Bedarf noch etwas Öl in die Pfanne geben. Die Puffer mit der Quarkcreme anrichten.

CREMIGE HIRSE
MIT KRABBEN

200 g Hirse
450 ml Gemüsebrühe
1 Bund Frühlingszwiebeln
1 EL Butter
100 g geschälte, gegarte Nordseekrabben (aus dem Kühlregal)
Salz | etwas Zitronenpfeffer
100 g Ricotta
Pfeffer aus der Mühle
2 Becher fettarmer Fruchtjoghurt (à 150 g, 1,5 % Fett)

30 Min.

Pro Portion 716 kcal | 34 g EW | 23 g F | 94 g KH

1. Die Hirse mit der Brühe in einem Topf zum Kochen bringen. Zugedeckt bei schwacher Hitze ca. 15 Min. sanft köcheln lassen, dabei ab und zu umrühren.

2. Inzwischen die Frühlingszwiebeln putzen und waschen, erst längs halbieren, dann in kleine Stücke schneiden. Die Butter in einer Pfanne zerlassen und die Krabben darin kurz schwenken. Die Frühlingszwiebeln dazugeben, alles mit Salz und Zitronenpfeffer würzen und noch 3 – 4 Min. garen.

3. Den Ricotta unter die Hirse rühren und mit Salz und Pfeffer abschmecken. Die Hirse nach Belieben mit Esslöffeln zu großen Nocken formen und mit den Krabben anrichten. Den Fruchtjoghurt als Nachtisch löffeln.

NUSSIGER
REIS-WIRSING-TOPF

1 Bund Frühlingszwiebeln
½ kleiner Wirsing (ca. 350 g)
30 g gehackte Haselnusskerne
2 EL Olivenöl
150 g Langkornreis
¾ l Gemüsebrühe
Salz | Pfeffer aus der Mühle
½ Ananas (350 – 400 g Fruchtfleisch)
1 große Mango

35 Min.

Pro Portion 740 kcal | 16 g EW | 26 g F | 103 g KH

1. Die Frühlingszwiebeln putzen, waschen und in dünne Ringe schneiden. Einige grüne Zwiebelringe zum Garnieren beiseitelegen. Den Wirsing putzen (dabei den Strunk entfernen), waschen und trocken schütteln. Die Blätter in schmale Streifen schneiden.

2. Die Nüsse in einer beschichteten Pfanne ohne Fett goldgelb rösten und beiseitestellen. Das Öl in einem Topf erhitzen und die Frühlingszwiebeln darin kurz anbraten. Dann den Reis dazugeben und kurz mit anbraten. Mit der Brühe ablöschen, alles aufkochen und zugedeckt ca. 5 Min. köcheln lassen. Den Wirsing hinzufügen, alles aufkochen und bei mittlerer Hitze noch ca. 10 Min. köcheln lassen.

3. Den Eintopf mit Salz und Pfeffer abschmecken und mit den Haselnüssen und den beiseitegestellten Frühlingszwiebeln bestreuen.

4. Für den Nachtisch die Ananas schälen. Den Strunk entfernen, das Fruchtfleisch erst in Scheiben, dann in mundgerechte Stücke schneiden. Die Mango schälen, das Fruchtfleisch erst vom Stein, dann in Würfel schneiden. Mango und Ananas mischen und als Nachtisch genießen.

tipp Die andere Hälfte des Wirsingkohls bewahren Sie am besten im Gemüsefach des Kühlschanks auf. Dort hält sich der Wirsing einige Tage frisch. Oder Sie kochen das Rezept in der doppelten Menge und frieren den Rest für ein anderes Mittagessen ein.

WATER

RADICCHIO-GNOCCHI
MIT RÄUCHERFORELLE

300 ml Gemüsebrühe
100 g fettarmer Frischkäse (5 % Fett)
etwas Zitronenpfeffer
1 kleiner Radicchio
175 g geräuchertes Lachsforellenfilet
1 – 2 EL lösliche Haferflocken
Salz
500 g frische Gnocchi (aus dem Kühlregal)
½ l Orangensaft

30 Min.

Pro Portion 753 kcal | 38 g EW | 18 g F | 110 g KH

1. Die Brühe und den Frischkäse in einem Topf gründlich verrühren. Mit Zitronenpfeffer würzen, aufkochen und bei mittlerer Hitze auf die Hälfte einkochen lassen.

2. Inzwischen den Radicchio putzen, waschen und in feine Streifen schneiden. Das Lachsforellenfilet mit einer Gabel grob zerteilen, dabei eventuell vorhandene Gräten entfernen.

3. Die Frischkäsesauce mit den Haferflocken andicken und mit Salz und Zitronenpfeffer abschmecken. Das Fischfilet vorsichtig hineingeben und in der Sauce erwärmen. Nicht zu stark rühren, sonst zerfällt der Fisch.

4. Die Gnocchi in reichlich kochendem Salzwasser nach Packungsanweisung garen. Kurz vor Ende der Garzeit den Radicchio dazugeben. Nach wenigen Sekunden alles in ein Sieb abgießen und gut abtropfen lassen.

5. Gnocchi und Radicchio vorsichtig mit der Frischkäsesauce mischen und auf Teller verteilen. 1 großes Glas Orangensaft kann vorher den Durst löschen oder hinterher genussvoll getrunken werden.

tipp Frischkäse war früher sehr fettreich, inzwischen gibt es ihn aber in vielen leichten Varianten. Für unbeschwerten Genuss sollten Sie zu fettarmen Sorten greifen – beachten Sie die Nährwertangaben auf der Packung!

ÜBERBACKENE SPÄTZLEPFANNE

1 EL Butter
500 g frische Spätzle (aus dem Kühlregal)
1 Dose Gemüsemais (285 g Abtropfgewicht)
100 g Schweinebratenaufschnitt
½ Bund Radieschen (mit Grün)
Salz | Pfeffer aus der Mühle
50 g geriebener Emmentaler

30 Min.

Pro Portion 746 kcal | 39 g EW | 25 g F | 88 g KH

1. Die Butter in einer breiten beschichteten Pfanne zerlassen und die Spätzle darin wenige Minuten anbraten.

2. Den Mais in ein Sieb abgießen, abbrausen und abtropfen lassen. Den Schweinebratenaufschnitt in kleine Würfel oder Streifen schneiden. Mais und Schweinebraten unter die Spätzle mischen und alles bei mittlerer Hitze unter Rühren ca. 5 Min. erhitzen.

3. Von den Radieschen etwas zartes Grün abzupfen, waschen, trocken schütteln und fein hacken. Die Radieschen putzen, waschen und vierteln oder achteln. Beides unter die Spätzle mischen, mit Salz und Pfeffer würzen.

4. Zuletzt den Emmentaler über die Spätzle streuen. Den Deckel auf die Pfanne legen und alles ca. 10 Min. bei schwacher Hitze erwärmen, bis der Käse geschmolzen ist.

NUDELN
MIT RÄUCHERFISCH

200 g Penne | Salz
500 g gegarte Rote Beten (vakuumverpackt)
6 Stiele Zitronenthymian (oder Thymian)
140 g geräuchertes Fischfilet (z. B. Forelle)
1 EL Öl
2 – 3 EL Pinienkerne
100 ml Gemüsebrühe
1 – 2 EL lösliche Haferflocken
Pfeffer aus der Mühle

25 Min.

Pro Portion 653 kcal | 34 g EW | 16 g F | 96 g KH

1. Die Penne in reichlich kochendem Salzwasser nach Packungsanweisung bissfest garen. In ein Sieb abgießen und gut abtropfen lassen.

2. Inzwischen die Roten Beten abtropfen lassen und in breite Streifen schneiden. Den Zitronenthymian waschen, trocken schütteln und die Blättchen abzupfen. Das Fischfilet mit einer Gabel grob zerteilen, dabei eventuell vorhandene Gräten entfernen.

3. Das Öl in einem Topf leicht erhitzen und die Pinienkerne darin anrösten. Rote Beten hinzufügen und kurz andünsten, dann mit der Brühe ablöschen. Die Haferflocken dazugeben, um die Brühe etwas zu binden. Mit Thymian, Salz und Pfeffer abschmecken.

4. Die gegarten Nudeln zu den Roten Beten in den Topf geben und zuletzt die Fischstücke vorsichtig unterheben.

LINGUINE
MIT GEMISCHTEN PILZEN

10 g getrocknete Steinpilze
300 g gemischte Pilze (z. B. Pfifferlinge, Austernpilze, Kräutersaitlinge, Champignons)
20 g Butter
2 EL trockener Sherry (oder Wasser)
Salz | Pfeffer aus der Mühle
250 g Linguine (oder Spaghetti)
75 g Kochsahne (15 % Fett)
2 EL gehackte Petersilie
500 g Erdbeeren
1 EL Zucker

30 Min.

Pro Portion 710 kcal | 23 g EW | 17 g F | 111 g KH

1. Die getrockneten Steinpilze nach Belieben zerkleinern und in 100 ml warmem Wasser ca. 10 Min. einweichen. Die frischen gemischten Pilze putzen und bei Bedarf mit einem Tuch abreiben. Einige Pilzscheiben abschneiden und beiseitelegen, die übrigen Pilze grob hacken.

2. Eine große beschichtete Pfanne erhitzen und die beiseitegestellten Pilzscheiben darin kurz anbraten. Herausnehmen und warm halten. Dann die Butter in der Pfanne zerlassen und die gehackten Pilze darin unter Rühren 2 – 3 Min. braten. Mit dem Sherry ablöschen und mit Salz und Pfeffer würzen. Die getrockneten Steinpilze mit dem Einweichwasser dazugeben und alles bei schwacher Hitze noch ca. 10 Min. köcheln lassen.

3. Inzwischen die Linguine in reichlich kochendem Salzwasser nach Packungsanweisung bissfest garen. In ein Sieb abgießen und sehr gut abtropfen lassen.

4. Die Sahne zu den Pilzen geben, alles nochmals aufkochen und mit Salz und Pfeffer abschmecken. Die Nudeln mit der Sauce mischen, mit der gehackten Petersilie und den beiseitegestellten Pilzscheiben garnieren.

5. Für den Nachtisch die Erdbeeren waschen, putzen und grob zerteilen. Mit Zucker bestreuen und nach Belieben gekühlt genießen.

FARFALLE
MIT PUTENRAGOUT

300 g Putenbrustfilet
2 kleine säuerliche Äpfel (z. B. Cox Orange)
2 EL Zitronensaft
1 kleine Zwiebel
2 Stangen Staudensellerie
50 g Rucola
200 g Farfalle
Salz
1 EL Öl
125 ml Apfelwein (oder Apfelsaft)
125 g Ricotta
Pfeffer aus der Mühle

30 Min.

Pro Portion 720 kcal | 56 g EW | 15 g F | 91 g KH

1. Das Putenbrustfilet abbrausen und trocken tupfen, dann in feine Streifen schneiden. Die Äpfel waschen, vierteln und entkernen. Die Viertel in Spalten schneiden und sofort mit dem Zitronensaft beträufeln.

2. Die Zwiebel schälen und fein würfeln. Den Sellerie putzen, waschen und in dünne Scheiben schneiden. Den Rucola verlesen, waschen und trocken schütteln. Die groben Stiele entfernen und die Blätter grob hacken.

3. Die Farfalle in reichlich kochendem Salzwasser nach Packungsanweisung bissfest garen. In ein Sieb abgießen und gut abtropfen lassen.

4. Inzwischen das Öl in einer beschichteten Pfanne erhitzen und die Putenstreifen darin 1 – 2 Min. rundum goldbraun anbraten. Aus der Pfanne nehmen und beiseitestellen.

5. Dann Zwiebelwürfel und Sellerie in die Pfanne geben und 1 – 2 Min. andünsten. Die Äpfel dazugeben und mit dem Apfelwein ablöschen. Den Ricotta hinzufügen und alles unter Rühren aufkochen. Das Fleisch wieder in die Pfanne geben, den Rucola dazugeben und alles gut mischen. Das Ragout mit Salz und Pfeffer abschmecken und noch 1 – 2 Min. sanft köcheln lassen. Die Nudeln mit dem Putenragout anrichten.

SPAGHETTI
MIT CURRYLINSEN

1 Möhre
1 Zwiebel
1 EL Rapsöl
1 EL Currypulver
200 ml Gemüsebrühe
100 g rote Linsen
250 g Spaghetti
Salz | Pfeffer aus der Mühle
2 EL Schnittlauchröllchen

30 Min.

Pro Portion 646 kcal | 28 g EW | 10 g F | 113 g KH

1. Die Möhre und die Zwiebel schälen und in kleine Würfel schneiden. Das Öl in einem Topf erhitzen, die Möhren- und Zwiebelwürfel darin unter Rühren anbraten. Mit dem Currypulver bestäuben und mit der Brühe ablöschen. Die Linsen hinzufügen, alles aufkochen und zugedeckt bei schwacher Hitze ca. 6 Min. garen.

2. Die Spaghetti in reichlich kochendem Salzwasser nach Packungsanweisung bissfest garen. In ein Sieb abgießen, gut abtropfen lassen und in eine Schüssel geben.

3. Die Currylinsen zu den Nudeln geben, alles mischen und in tiefen Tellern anrichten. Mit den Schnittlauchröllchen bestreuen.

MEDITERRANER NUDELTOPF

1 Zucchino
½ kleine Aubergine
1 große festkochende Kartoffel
250 g Putenbrustfilet
¼ l Gemüsebrühe
200 g Pappardelle (breite Bandnudeln)
Salz | 2 EL Olivenöl
Pfeffer aus der Mühle
2 EL Zitronenthymianblättchen

45 Min.

Pro Portion 700 kcal | 48 g EW | 15 g F | 95 g KH

1. Zucchino und Aubergine putzen und waschen, Kartoffel schälen. Alles erst in sehr dünne Scheiben, dann in ca. 1 cm breite Streifen schneiden. Das Fleisch abbrausen, trocken tupfen und in feine Streifen schneiden.

2. Die Brühe aufkochen, Auberginen- und Kartoffelstreifen darin zugedeckt bei schwacher Hitze ca. 5 Min. köcheln lassen. Zucchino dazugeben und alles noch ca. 3 Min. garen.

3. Die Pappardelle in reichlich kochendem Salzwasser nach Packungsanweisung bissfest garen. Das Putenbrustfilet in einer Pfanne im heißen Öl unter Rühren in 2–3 Min. goldbraun braten. Mit Salz und Pfeffer würzen.

4. Kartoffelmischung und Nudeln abtropfen lassen, alles mit dem Putenfleisch mischen. Zuletzt den Zitronenthymian über den Nudeltopf streuen.

CURRYHÄHNCHEN
MIT GEMÜSE UND KARTOFFEL-WEDGES

4 EL helle Sojasauce
1 TL Currypulver
300 g Hähnchenbrustfilet
750 g mittelgroße festkochende Kartoffeln
2 EL Öl
600 g gemischtes grünes Gemüse (z. B. Brokkoli, Zuckerschoten, Bohnen, grüner Spargel)
200 ml Gemüsebrühe
20 g Mandelblättchen
Salz | Pfeffer aus der Mühle
edelsüßes Paprikapulver
2 große Birnen

40 Min. + 1 – 2 Std. Marinieren

Pro Portion 786 kcal | 58 g EW | 21 g F | 88 g KH

1. Die Sojasauce mit Currypulver verrühren. Das Hähnchenbrustfilet abbrausen, trocken tupfen und in breite Streifen schneiden. Das Hähnchenfleisch mit der Marinade mischen und zugedeckt 1 – 2 Std. ziehen lassen.

2. Die Kartoffeln waschen, schälen und längs in Spalten schneiden. Die Wedges in einer Pfanne in 1 EL heißem Öl bei mittlerer Hitze in ca. 30 Min. goldbraun und gar braten.

3. Währenddessen das Gemüse putzen, waschen und in mundgerechte Stücke schneiden. Die Brühe aufkochen und das Gemüse darin in ca. 10 Min. bissfest dünsten. Dabei zuerst das Gemüse mit der längsten Garzeit hineingeben (z. B. grüne Bohnen), das mit kurzer Garzeit später (z. B. Zuckerschoten).

4. Die Mandeln in einer Pfanne ohne Fett goldbraun rösten, dann herausnehmen. Das Fleisch aus der Marinade nehmen und abtropfen lassen. Das übrige Öl in der Pfanne erhitzen und das Fleisch darin von beiden Seiten 6 – 8 Min. braten. Mit Salz und Pfeffer würzen, gegen Ende die Marinade dazugeben.

5. Die Kartoffeln mit Salz und Paprikapulver würzen. Das Fleisch aus der Pfanne nehmen. Das Gemüse abtropfen lassen, den Sud in die Fleischpfanne gießen und bei starker Hitze etwas einkochen lassen. Curryhähnchen und Gemüse mit den Wedges sevieren.

6. Birnen waschen, entkernen, klein schneiden und mit den Mandeln als Dessert genießen.

SCHWEINEMEDAILLONS
MIT RÜBENGEMÜSE

400 g buntes Rübengemüse (z. B. bunte Möhren, Pastinaken, Mairübchen, Petersilienwurzeln)
2 Bio-Orangen
150 g Basmati-Reis
300 ml Gemüsebrühe
4 Schweinemedaillons (à ca. 80 g)
Salz | Pfeffer aus der Mühle
2 EL Öl
1 EL Apfeldicksaft (oder Honig)
½ Bund glatte Petersilie
½ Bund Basilikum

40 Min.

Pro Portion 710 kcal | 45 g EW | 17 g F | 93 g KH

1. Das Gemüse schälen und in ca. 6 cm lange Stücke schneiden. Diese erst längs in dünne Scheiben, dann in streichholzdünne Stifte schneiden. Die Orangen heiß waschen und abtrocknen. Von einer Frucht die Schale fein abreiben und den Saft auspressen. Die zweite Orange so schälen, dass auch die weiße Haut mit entfernt wird, und die Fruchtfilets mit einem scharfen Messer auslösen.

2. Den Reis mit der Brühe in einem Topf zum Kochen bringen und zugedeckt bei schwacher Hitze ca. 15 Min. garen.

3. Die Schweinemedaillons mit Salz und Pfeffer würzen. 1 EL Öl in einer Pfanne erhitzen und die Medaillons darin von beiden Seiten scharf anbraten. Dann bei schwacher Hitze noch 8 – 10 Min. braten, zwischendurch wenden.

4. Das übrige Öl in einer zweiten Pfanne erhitzen. Das Gemüse darin kurz anbraten, mit dem Apfeldicksaft beträufeln und mit dem Orangensaft ablöschen. Orangenschale und -filets dazugeben. Das Rübengemüse salzen, pfeffern und zugedeckt bei schwacher Hitze noch ca. 5 Min. garen.

5. Die Petersilie und das Basilikum waschen und trocken schütteln, die Blättchen abzupfen und fein hacken. Die Kräuter unter den Reis mischen. Den Kräuterreis mit den Medaillons und dem Rübengemüse anrichten.

ZWEIERLEI LINSEN
MIT HÄHNCHEN-KASSELER

- 1 Stange Lauch
- 1 Möhre
- 100 g Beluga- oder Puy-Linsen
- ca. 400 ml Geflügelbrühe
- 2 Scheiben Hähnchen-Kasseler (à ca. 75 g, siehe Tipp)
- 2 EL Öl
- 400 g frische Schupfnudeln (aus dem Kühlregal)
- 100 g rote Linsen
- Salz | Pfeffer aus der Mühle

25 Min.

Pro Portion 616 kcal | 48 g EW | 19 g F | 67 g KH

1. Den Lauch putzen und gründlich waschen, erst längs halbieren oder vierteln, dann quer in dünne Scheiben schneiden. Die Möhre schälen und klein würfeln.

2. Die Linsen mit 200 ml Brühe in einem Topf zum Kochen bringen. Die Kasseler-Scheiben daraufsetzen und alles zugedeckt ca. 15 Min. garen. Dann das Kasseler herausnehmen und beiseitestellen. Den Lauch unter die Linsen rühren, das Kasseler wieder daraufsetzen und alles noch ca. 5 Min. garen.

3. Das Öl in einer Pfanne erhitzen und die Schupfnudeln darin rundum goldbraun braten. In einem zweiten Topf die übrige Brühe aufkochen, die roten Linsen und die Möhrenwürfel dazugeben und zugedeckt 8 – 10 Min. garen.

4. Die beiden Linsensorten mit Salz und Pfeffer abschmecken, mit dem Kasseler und den Schupfnudeln anrichten.

tipp Seit einiger Zeit gibt es in den Kühltheken der Supermärkte Hähnchen-Kasseler. Es ist naturgemäß magerer als das gewohnte, aus Schweinefleisch hergestellte Kasseler, jedoch ebenfalls gepökelt. Hähnchen-Kasseler enthält nur ca. 2 Prozent Fett – also ein leichter Genuss!

GRIESSAUFLAUF
MIT ZWETSCHGEN

¼ l Milch
Salz | 1 EL Butter
2 EL Honig (ca. 30 g)
50 g Weizengrieß
3 Eier | 3 EL Zucker
600 g Zwetschgen

Außerdem:
1 flache Auflaufform
Butter für die Form

30 Min. + 30 Min. Garen

Pro Portion 610 kcal | 21 g EW | 21 g F | 82 g KH

1. Den Backofen auf 175° vorheizen, die Form mit Butter fetten. Die Milch in einem Topf mit 1 Prise Salz, der Butter und dem Honig aufkochen. Den Grieß dazugeben und alles unter Rühren dicklich kochen. Dann den Grießbrei vom Herd nehmen.

2. Die Eier trennen und die Eigelbe unter den Grieß rühren. Die Eiweiße steif schlagen, dabei zuletzt 1 EL Zucker einrieseln lassen. Den Eischnee unter den Grieß heben, die Masse in die Form geben und den Auflauf im Ofen (Mitte) ca. 30 Min. garen.

3. Inzwischen die Zwetschgen waschen, halbieren und entsteinen. Mit dem restlichen Zucker in einen breiten Topf geben und langsam erhitzen, sodass die Zwetschgen Saft ziehen. Dann einmal aufkochen und anschließend abkühlen lassen. Das Zwetschgenkompott zum Grießauflauf servieren.

APFELNOCKEN
MIT ZIMTBUTTER

150 g Weizenmehl (Type 405)
125 g Magerquark
2 Eier
1 Pck. Vanillezucker
300 g säuerliche Äpfel (z. B. Boskop)
Salz
50 g Butter
1 EL Zucker
2 TL Zimtpulver

40 Min. + 30 Min. Quellen

Pro Portion 700 kcal | 24 g EW | 29 g F | 84 g KH

1. Das Mehl mit dem Quark, den Eiern und dem Vanillezucker zu einem dicken Teig glatt rühren. Die Äpfel schälen, vierteln und entkernen. Die Viertel in ca. 5 mm große Würfel schneiden und unter den Teig mischen. Den Teig zugedeckt ca. 30 Min. quellen lassen.

2. In einem breiten Topf reichlich Wasser zum Kochen bringen und ½ TL Salz hineingeben. Vom Quarkteig mit zwei Esslöffeln Nocken abstechen, ins kochende Salzwasser geben und bei schwacher Hitze in ca. 20 Min. gar ziehen (nicht kochen!) lassen.

3. Inzwischen die Butter mit dem Zucker und dem Zimtpulver in einen kleinen Topf geben und die Butter zerlassen. Die fertigen Nocken mit einer Schaumkelle aus dem Wasser heben, gut abtropfen lassen und auf Teller setzen. Mit der Zimtbutter beträufeln.

PFANNKUCHENSCHNECKEN
MIT HIMBEERSAUCE

120 g Weizenmehl (Type 1050)
Salz
3 Eier
150 ml Mineralwasser (mit Kohlensäure)
½ Bio-Zitrone
100 g fettarmer Frischkäse (5 % Fett)
50 g Himbeerkonfitüre
20 g Butter
300 g Himbeeren (frisch oder TK)
2 EL Puderzucker

40 Min.

Pro Portion 622 kcal | 26 g EW | 21 g F | 80 g KH

1. Das Mehl in einer Schüssel mit 1 Prise Salz mischen. Die Eier und das Mineralwasser dazugeben und alles mit dem Schneebesen zu einem glatten Teig verrühren. Den Teig zugedeckt ca. 15 Min. quellen lassen.

2. Inzwischen die Zitrone heiß waschen, abtrocknen und die Schale fein abreiben. Dann den Saft auspressen und beiseitestellen. Die Zitronenschale mit dem Frischkäse und der Himbeerkonfitüre verrühren.

3. Die Hälfte der Butter in einer großen beschichteten Pfanne zerlassen. Die Hälfte des Teigs hineingeben und durch Schwenken der Pfanne gleichmäßig verteilen. Den Pfannkuchen von beiden Seiten goldbraun backen, herausnehmen und beiseitestellen. Anschließend einen zweiten Pfannkuchen in der restlichen Butter backen und beide Pfannkuchen etwas abkühlen lassen.

4. Die frischen Himbeeren verlesen und vorsichtig waschen, TK-Beeren noch gefroren verwenden. Die Beeren mit dem Zitronensaft und dem Puderzucker in einem Topf einmal aufkochen, dann mit dem Schneebesen zu einer Sauce verrühren.

5. Die Pfannkuchen mit dem Himbeerfrischkäse bestreichen, vorsichtig aufrollen und schräg in 1 – 2 cm dicke Scheiben schneiden. Die Pfannkuchenschnecken auf den Schnittflächen auf Teller setzen und die heiße Himbeersauce darüber verteilen.

EIWEISS FÜR DAS ABNEHMEN IM SCHLAF

Die Abendmahlzeit ist entscheidend für den Ablauf des nächtlichen Stoffwechsels und der Fettverbrennung. Denn durch die Zusammensetzung des Abendessens bestimmen Sie, ob Fett aus den Speicherdepots an Bauch, Beinen und Hüften freigesetzt werden kann und Sie deshalb im Schlaf schlanker werden – oder eben nicht.

ABENDS KEIN INSULIN LOCKEN

Fakt ist: Nimmt man abends eine große Portion Kohlenhydrate zu sich, schießt die Produktion des Dickmacherhormons Insulin in die Höhe. Das passiert beispielsweise, wenn man das bei uns so beliebte Abendbrot genießt oder sich abendlichen Pastaorgien hingibt. Aber auch Bratkartoffeln, fast alle Kartoffelspeisen und andere stärkehaltige Gerichte mit Beilagen wie Reis oder Getreide wirken insulinlockend auf unseren Organismus. Durch die Insulinausschüttung wird die Aufnahme des Zuckers aus den Kohlenhydraten in die Zellen angeregt. Zugleich legt der Körper, in aller Regel unerwünscht, Energiereserven in Form von Körperfett an. Doch nicht nur das: Der Zuckernachschub blockiert auch den vom Wachstumshormon nachts verstärkt ausgelösten Fettabbau. Das ist tagsüber sinnvoll, wenn wir aktiv sind und die schnelle Energie aus den Kohlenhydraten durch Aktivität und Bewegung gleich wieder verbrennen. Aber abends, wenn nach dem Essen allenfalls Couch oder Bett warten, wird der Energieüberschuss zum Ballast und blockiert zusätzlich die Fettverbrennung.

Voraussetzungen fürs Fettburnen

Rein bio-rhythmisch betrachtet, ist unser Körper nachts auf Ruhe und Regeneration eingestellt. Die Natur hat es so eingerichtet, dass dies im Schlaf von allein geschieht. Dass wir in dieser mehrstündigen Fastenphase keinen Hunger leiden, verdanken wir der Fähigkeit unseres Organismus, sich nachts aus seinen Fettdepots zu bedienen. Bleibt der Zuckerspiegel niedrig und die Insulinkurve flach, kann der Körper in der Nacht stundenlang Fett verbrennen. Die entscheidende Voraussetzung dafür ist aber: zum Abendessen keine Kohlenhydrate und dafür eine große Portion Eiweiß in Kombination mit Gemüse und/oder Salat zu essen.

tipp

HILFE! HUNGER AUF KOHLENHYDRATE!

Wenn Sie abends heißhungrig auf eine kohlenhydrathaltige Mahlzeit sind, gibt es einen guten Trick: Knabbern Sie schon während des Kochens als Vorspeise an etwas Rohkost (etwa Radieschen oder Salatgurke) oder trinken Sie ein großes Glas Wasser. Sobald sich Ihr Stoffwechsel nach ein paar Tagen an den neuen, gesünderen Ernährungsrhythmus angepasst hat, verschwinden die Heißhungerattacken auf Kohlenhydrate von ganz allein!

DOS

- Je früher Sie zu Abend essen, desto mehr Zeit steht Ihnen für die nächtliche Fettverbrennung zu Verfügung. Optimal für den Stoffwechsel ist das Zeitfenster zwischen 17 und 19 Uhr.
- Kalorienfreie Getränke (Wasser pur, mit Ingwer, Kräuterblättern oder Zitrone aromatisiert, sowie Kräutertees) sind die perfekten Begleiter zum Essen.
- Naschkatzen dürfen sich auf Schlank-im-Schlaf-Abenddesserts mit Stevia als natürlichem Süßmittel freuen, das insulinunabhängig vom Körper verwertet wird.
- Für Abendbrotliebhaber (und wenn es mal schnell gehen muss) bietet sich Eiweiß-Abendbrot mit Käse, magerem Aufschnitt oder vegetarischen Aufstrichen an.

Das richtige Timing

Wann Sie zu Abend essen, hängt letztlich vom Zeitpunkt Ihrer Mittagsmahlzeit ab. Denn vor dem Abendessen sollten Sie eine Insulinpause von etwa fünf Stunden einhalten. Dann haben Sie richtig Appetit auf eine üppige Eiweißmahlzeit, die dafür sorgt, dass Sie nach dem Essen wirklich satt und auch gut durchwärmt sind. Denn Eiweiß hat neben seiner großen Bedeutung als Baustofflieferant für unseren Körper auch die gute Eigenschaft, dass es sehr schnell zu Wärme verbrannt wird. Das merkt man dann an warmen Händen und Füßen (siehe S. 39). Noch ein Tipp: Essen Sie lieber früher zu Abend als zu spät, dann steht Ihnen bis zum Frühstück am nächsten Morgen mehr Zeit für die nächtliche Fettverbrennung zur Verfügung. Außerdem schläft es sich mit vollem Bauch bekanntlich nicht so gut.

Abendessen mit Kindern

Kinder und Jugendliche im Wachstum sollten abends nicht komplett auf Kohlenhydrate verzichten – außer sie haben keinen Appetit darauf. Reis, Nudeln und Gnocchi oder frische Nudeln aus dem Kühlregal garen schnell in einem Topf neben dem Schlank-im-Schlaf-Abendessen. Pro Portion sollten es allerdings nicht mehr als 150 Gramm sein. Backofen-Pommes sind aufgrund ihres niedrigeren Fettgehalts empfehlenswerter als frisch Frittiertes. Sobald Ihr Kind Vorlieben für bestimmte Gemüsesorten entwickelt, sollten Sie immer für einen entsprechenden Vorrat sorgen – auch Möhren- oder Kohlrabisticks sind für Kinder ideal. Achten Sie außerdem darauf, dass Ihr Kind – und Sie selbst – nicht nur abends, sondern auch tagsüber ausreichend trinken. So vermeiden Sie Heißhungerattacken: Durstgefühle verwechselt der Körper nämlich gerne mit Hunger.

DON'TS

- Alkohol blockiert die Fettverbrennung. Wer mag, darf 1 Glas Wein (0,2 l) oder Bier (0,3 l) genießen. Mehr ist nicht empfehlenswert!
- Klassische Beilagen wie Kartoffeln, Reis, Brot, Brötchen und andere Backwaren sind abends tabu.
- Besonders stärkehaltige und kohlenhydratreiche Gemüse wie Mais, Möhren, Rote Beten und Kürbis sowie Hülsenfrüchte (Erbsen, Bohnen) sind perfekt für die Mittagsmahlzeit. Abends jedoch nie!
- Vorsicht bei koffeinhaltigen Getränken wie grünem oder schwarzem Tee und Kaffee. Die machen wach und können Sie dadurch vom Schlankschlaf abhalten.

SCHLANK IM SCHLAF TO GO

150 g gemischter Blattsalat

\+

100 g Joghurtdressing (ca. 6 EL)

\+

200 g gegarte Garnelen

260 kcal
33 g EW
11 g F
6 g KH

250 g fettarmer Kräuterquark

\+

2 Scheiben Eiweiß-Abendbrot

\+

1 Handvoll Radieschen

360 kcal
20 g EW
8 g F
15 g KH

150 g Weißkohl-Joghurt-Salat

\+

100 g fettarmer Schafskäse

\+

3 kleine Hackbällchen

390 kcal
32 g EW
18 g F
12 g KH

150 g gemischter Blattsalat

\+

5 EL Italian Dressing

\+

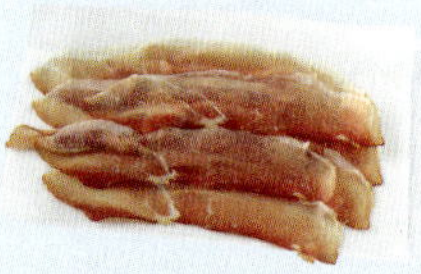
100 g magerer Rohschinken

265 kcal
24 g EW
16 g F
6 g KH

2 hart gekochte Eier

\+

2 Scheiben Eiweiß-Abendbrot

\+

1 Paprikaschote

355 kcal
34 g EW
19 g F
11 g KH

ABENDESSEN OHNE KOCHEN

160 g gegrilltes Filetsteak

\+

1 kleiner Salat mit Dressing

370 kcal
44 g EW
16 g F
5 g KH

1 Portion Gyros (ca. 400 g)

\+

3 EL Krautsalat

\+

3 EL Tsatsiki

430 kcal
36 g EW
25 g F
4 g KH

2 Matjesfilets (à ca. 80 g)

\+

½ Salatgurke in Sticks

440 kcal
25 g EW
30 g F
1 g KH

1 Rolle Harzer Käse (200 g)

\+

1 Handvoll Radieschen

\+

1 Stück Rettich (in Scheiben)

290 kcal
62 g EW
2 g F
3 g KH

150 g Peperoni mit Frischkäse

\+

100 g gegarte Garnelen

370 kcal
23 g EW
5 g F
6 g KH

SANDWICH »KRETA-STYLE«

4 Scheiben Eiweiß-Abendbrot (à ca. 35 g)
4 TL Ajvar (türk. Paprikacreme)
180 g fettarmer Schafskäse (Feta »light«)
1 kleine rote Paprikaschote
1 kleines Stück Salatgurke
Pfeffer aus der Mühle
edelsüßes Paprikapulver

15 Min.

Pro Portion 340 kcal | 35 g EW | 17 g F | 10 g KH

1. Die Brotscheiben nach Belieben toasten und dann mit Ajvar bestreichen. Den Schafskäse in dünne Scheiben schneiden und auf zwei Brotscheiben verteilen.

2. Die Paprikaschote längs halbieren, entkernen, waschen und in schmale Streifen schneiden. Die Gurke schälen und in dünne Scheiben schneiden. Die Paprikastreifen und Gurkenscheiben auf dem Schafskäse verteilen und mit Pfeffer und Paprikapulver würzen. Die übrigen Brotscheiben mit der Ajvar-Seite nach unten darauflegen.

tipp Das Eiweiß-Abendbrot ist ideal für das Schlank-im-Schlaf-Abendessen, weil es kaum Kohlenhydrate und viel Eiweiß enthält. Im Anhang finden Sie einen Link mit Bäckereien, die das Eiweiß-Abendbrot im Sortiment haben (siehe S. 174).

STULLEN MIT MAKRELE UND EI

1 Ei
1 Bund Dill
250 g Magerquark
Salz | Pfeffer aus der Mühle
4 Scheiben Eiweiß-Abendbrot (à ca. 35 g)
100 g geräuchertes Makrelenfilet
1 kleine Salzgurke

15 Min.

Pro Portion 440 kcal | 45 g EW | 23 g F | 9 g KH

1. Das Ei in wenig kochendem Wasser zugedeckt in ca. 10 Min. hart kochen. Inzwischen den Dill waschen, trocken schütteln und die Dillspitzen abzupfen. Einige Spitzen zum Garnieren beiseitelegen. Die restlichen Spitzen fein hacken und mit dem Quark verrühren. Mit Salz und Pfeffer würzen.

2. Die Brotscheiben mit dem Kräuterquark bestreichen. Das Ei kalt abschrecken, pellen und in Scheiben schneiden. Das Makrelenfilet grob zerteilen, dabei eventuell vorhandene Gräten entfernen. Die Salzgurke längs in feine Scheiben schneiden. Ei, Makrele und Gurke auf den Brotscheiben verteilen und mit den beiseitegestellten Dillspitzen garnieren.

BRUSCHETTA
MIT TOFU UND RUCOLA

4 Tomaten
1 Handvoll Rucola
1 gewürzter Tofu italienische Art (160 g)
4 Scheiben Eiweiß-Abendbrot (à ca. 35 g)
Salz | Pfeffer aus der Mühle
einige Basilikumblättchen

15 Min.

Pro Portion 330 kcal | 29 g EW | 18 g F | 10 g KH

1. Die Tomaten waschen und in Scheiben schneiden, dabei die Stielansätze entfernen. Den Rucola verlesen, waschen und trocken schütteln, dabei die groben Stiele entfernen. Den Tofu in Scheiben schneiden.

2. Die Brotscheiben nach Belieben toasten, dann mit Tomaten, Rucola und Tofu belegen. Mit Salz und Pfeffer würzen. Das Basilikum waschen, trocken schütteln und die Brote damit garnieren.

tipp Wenn Sie den mit italienischen Gewürzen aromatisierten Tofu nicht bekommen, können Sie einfach Naturtofu in Scheiben schneiden und einige Stunden einlegen. Als Marinade eignet sich eine Mischung aus gutem Olivenöl, Salz, Pfeffer, etwas abgeriebener Bio-Zitronenschale und getrocknetem Thymian. Wer mag, presst noch 1 kleine Knoblauchzehe dazu.

Sandwich »Kreta-Style«

Stullen mit Makrele und Ei

Bruschetta mit Tofu und Rucola

SANDWICH
MIT CORNED BEEF

4 Scheiben Eiweiß-Abendbrot (à ca. 35 g)
50 g fettarmer Frischkäse (5 % Fett)
4 – 8 Salatblätter (je nach Sorte und Größe)
100 g Corned-Beef-Aufschnitt
1 Stange Staudensellerie
2 Radieschen
2 TL mittelscharfer Senf

10 Min.

Pro Portion 270 kcal | 31 g EW | 13 g F | 6 g KH

1. Die Brotscheiben nach Belieben toasten, dann mit dem Frischkäse bestreichen. Den Salat putzen, waschen und trocken tupfen. Die Salatblätter auf den Brotscheiben verteilen und das Corned Beef darauflegen.

2. Den Sellerie und die Radieschen putzen, waschen und in sehr feine Scheiben schneiden. Beides auf die Brote verteilen und etwas Senf daraufgeben.

tipp Alternativ zum Corned Beef können Sie die Brote auch einmal mit Bündner Fleisch oder Schinken – rohem ebenso wie gekochtem – belegen.

ABENDBROTE
MIT SCHINKEN

4 Scheiben Eiweiß-Abendbrot (à ca. 35 g)
125 g Kräuterquark
1 kleines Stück Salatgurke
100 g Katenschinken (oder anderer Räucherschinken)
2 Salzgurken
50 g Silberzwiebeln (aus dem Glas)

10 Min.

Pro Portion 370 kcal | 39 g EW | 19 g F | 8 g KH

1. Die Brotscheiben nach Belieben toasten, dann mit dem Kräuterquark bestreichen. Die Gurke schälen, in dünne Scheiben schneiden und auf den Broten verteilen.

2. Die Schinkenscheiben zusammenklappen oder -rollen und auf die Brotscheiben legen. Die Salzgurken längs in feine Scheiben schneiden, die Silberzwiebeln halbieren und die Brote mit beidem garnieren.

tipp Zwei gleich belegte Brote sind Ihnen zu langweilig? Dann bereiten Sie doch von den Abendbroten mit Schinken und dem Sandwich mit Corned Beef (siehe links) jeweils nur die Hälfte zu und genießen beide Varianten an einem Abend.

BROTSPIESSE
MIT HARZER KÄSE

2 dicke Scheiben Eiweiß-Abendbrot (à ca. 70 g)
1 Rolle Harzer Käse (200 g)
2 Salzgurken
8 kleine Kirschtomaten
½ Kopfsalat
100 g fettarmer Joghurt (1,5 % Fett)
2 – 3 EL gehackte Petersilie
Salz | Pfeffer aus der Mühle
2 kleine Zwiebeln

Außerdem:
4 Holzspieße

15 Min.

Pro Portion 350 kcal | 50 g EW | 10 g F | 13 g KH

1. Die Brotscheiben und den Harzer Käse in große Würfel, die Salzgurken in dicke Scheiben schneiden. Die Kirschtomaten waschen. Brot, Käse, Gurken und Tomaten abwechselnd auf die Spieße stecken.

2. Den Salat putzen, waschen und gut trocken schleudern. Dann grob zerpflücken und mit den Spießen auf Teller verteilen.

3. Den Joghurt mit der Petersilie verrühren und mit Salz und Pfeffer abschmecken. Die Zwiebeln schälen und in dünne Scheiben schneiden. Die Spieße mit Zwiebeln und Kräuterjoghurt anrichten.

Sandwich mit Corned Beef

Abendbrote mit Schinken

Brotspieße mit Harzer Käse

FELDSALAT
MIT HUHN UND EI

1 Ei | 200 g Hähnchenbrustfilet
150 g Feldsalat | 1 Staude Chicorée
½ Bund Schnittlauch
3 EL Olivenöl
Salz | Pfeffer aus der Mühle
3 EL Himbeeressig
2 EL Gemüsebrühe

Außerdem:
4 Holzspieße

20 Min.

Pro Portion 295 kcal | 30 g EW | 18 g F | 2 g KH

1. Das Ei in kochendem Wasser zugedeckt in ca. 10 Min. hart kochen. Das Fleisch abbrausen und trocken tupfen, in Streifen schneiden und auf die Spieße stecken.

2. Den Feldsalat verlesen, waschen und trocken schleudern. Den Chicorée putzen (dabei entstrunken), waschen und trocken schleudern. Schnittlauch waschen, trocken schütteln und in Röllchen schneiden. Die Spieße in einer Pfanne in 1 EL heißem Öl rundum ca. 4 Min. braten. Mit Salz und Pfeffer würzen.

3. Essig mit Salz und Pfeffer verrühren und das übrige Öl unterschlagen. Dann Brühe und Schnittlauch unterrühren. Das Ei pellen, das Eigelb mit einer Gabel zerdrücken und unter das Dressing rühren. Das Eiweiß klein würfeln. Feldsalat und Chicorée auf Teller verteilen, Dressing und Eiweißwürfel darüber verteilen und die Hähnchenspieße daraufsetzen.

TOMATENSALAT
MIT GORGONZOLACREME

500 g kleine bunte Tomaten (oder Kirschtomaten)
2 EL Olivenöl | Salz | Pfeffer aus der Mühle
1 kleiner Radicchio | 1 Bund Rucola
100 ml fettarme Milch (1,5 % Fett)
70 g Gorgonzola
100 g Eiweiß-Abendbrot (in Scheiben)
3 EL Aceto balsamico

Außerdem:
1 flache Auflaufform

15 Min. + 25 Min. Garen

Pro Portion 420 kcal | 25 g EW | 28 g F | 14 g KH

1. Den Backofen auf 160° vorheizen. Die Tomaten waschen, halbieren und mit den Rundungen nach unten in die Form legen. Mit dem Öl beträufeln, salzen und pfeffern und im Ofen (Mitte) ca. 25 Min. garen.

2. Radicchio und Rucola putzen, waschen, gut trocken schleudern und klein schneiden. Dabei den harten Mittelstrunk beim Radicchio und die groben Stiele beim Rucola entfernen.

3. Die Milch mit dem Gorgonzola in einen hohen Rührbecher geben und mit dem Stabmixer pürieren. Das Dressing mit Salz und Pfeffer abschmecken. Die Brotscheiben toasten und in Würfel schneiden.

4. Radicchio und Rucola auf Teller verteilen und das Dressing darübergeben. Die Tomaten dazugeben, mit dem Essig beträufeln und mit den Brotwürfeln bestreuen.

SPROSSENSALAT
MIT INGWER

1 Stück Ingwer (ca. 30 g)
4 EL Gemüsebrühe | 3 EL Limettensaft
2 EL helle Sojasauce | 3 EL Sojaöl
200 g frische Mungobohnenkeime
75 g Rettich- oder Alfalfa-Sprossen
1 kleine rote Paprikaschote
200 g Räuchertofu | 1 Bund Schnittlauch
einige Stiele Thai-Basilikum (oder Minze)
Salz | Pfeffer aus der Mühle
2 Scheiben Eiweiß-Abendbrot (à ca. 35 g)

30 Min.

Pro Portion 360 kcal | 21 g EW | 25 g F | 11 g KH

1. Den Ingwer schälen, fein hacken und in der Brühe einmal aufkochen. Dann in einer Schüssel mit Limettensaft und Sojasauce verrühren und das Öl unterschlagen.

2. Die Mungobohnenkeime und Sprossen in ein Sieb geben, abbrausen und gut abtropfen lassen. Die Paprikaschote längs halbieren, entkernen, waschen und quer in sehr feine Streifen schneiden. Den Tofu erst in Scheiben, dann quer in schmale Streifen schneiden. Den Schnittlauch waschen, trocken schütteln und in Röllchen schneiden. Das Thai-Basilikum waschen und trocken schütteln, die Blättchen abzupfen und grob hacken.

3. Bohnenkeime, Sprossen, Paprika, Tofu und Schnittlauch mit dem Ingwerdressing mischen, salzen und pfeffern. Zuletzt das Thai-Basilikum über den Salat streuen und die Brotscheiben dazu reichen.

WURSTSALAT
MIT RADIESCHEN

4 Frankfurter oder Wiener Würstchen (200 g)
1 Bund Radieschen
3 EL Apfelessig
4 EL Gemüsebrühe
1 – 2 TL mittelscharfer Senf
Salz | Pfeffer aus der Mühle
1 gelbe Paprikaschote

20 Min.

Pro Portion 320 kcal | 16 g EW | 24 g F | 6 g KH

1. Die Würstchen schräg in Scheiben schneiden. Einige zarte Blätter Radieschengrün abzupfen, waschen, trocken schütteln und fein hacken. Mit Essig und Brühe gründlich verrühren und das Dressing mit Senf, Salz und Pfeffer abschmecken.

2. Die Radieschen putzen, waschen und vierteln oder in Scheiben schneiden. Die Paprikaschote längs halbieren, entkernen, waschen und in schmale Streifen schneiden.

3. In einer Schüssel Würstchen, Radieschen und Paprika mischen, mit dem Dressing marinieren und nochmals abschmecken.

tipp Wenn Sie sehr großen Appetit haben, genießen Sie 1 Scheibe Eiweiß-Abendbrot oder eines der Abenddesserts dazu (siehe S. 159 ff.).

EIERSALAT
MIT MUSCHELN

3 Eier
2 in Öl eingelegte, gegrillte Paprikaschoten
1 Kopfsalat
1 kleines Glas Miesmuscheln (in Salzlake, 70 g Abtropfgewicht)
2 kleine rote Zwiebeln
2 EL Olivenöl
Salz | Pfeffer aus der Mühle
2 – 3 EL milder Wein- oder Himbeeressig
2 Scheiben Eiweiß-Abendbrot (à ca. 35 g)

25 Min.

Pro Portion 360 kcal | 25 g EW | 24 g F | 9 g KH

1. Die Eier in kochendem Wasser zugedeckt in ca. 10 Min. hart kochen. Kalt abschrecken, pellen und in Scheiben schneiden.

2. Inzwischen die Paprika abtropfen lassen und in Streifen schneiden. Den Salat putzen, waschen, gut trocken schleudern und ebenfalls in Streifen schneiden. Die Muscheln in einem Sieb gut abtropfen lassen. Die Zwiebeln schälen und in feine Spalten schneiden.

3. Das Öl in einer kleinen beschichteten Pfanne erhitzen und die Zwiebelspalten darin glasig dünsten. Die Muscheln dazugeben und erwärmen, mit Salz und Pfeffer würzen.

4. Eier, Paprika und Salat auf Tellern anrichten und mit dem Essig beträufeln. Die Muscheln darüber verteilen. Die Brotscheiben nach Belieben toasten und dazu reichen.

RUCOLASALAT
MIT TOFUSPIESSEN

80 – 100 g Rucola
1 kleine reife Avocado
2 EL Zitronensaft | 200 g Räuchertofu
3 TL Olivenöl | 2 EL Apfelessig
1 EL süßer Senf
Salz | Pfeffer aus der Mühle
2 EL Gemüsebrühe

Außerdem:
kleine Holzspieße

25 Min.

Pro Portion 320 kcal | 11 g EW | 29 g F | 3 g KH

1. Den Rucola verlesen, waschen und trocken schütteln, dabei grobe Stiele entfernen. Die Avocado halbieren und den Kern entfernen. Das Fruchtfleisch mit einem Kugelausstecher aus den Schalen lösen und sofort im Zitronensaft wenden.

2. Den Tofu grob würfeln und auf die Spieße stecken. In einer breiten beschichteten Pfanne 1 EL Öl erhitzen. Die Tofuspieße darin rundum erst scharf anbraten, dann bei schwacher Hitze noch ca. 5 Min. braten.

3. Den Essig mit Senf, Salz und Pfeffer verrühren und das übrige Öl unterschlagen. Zuletzt die Brühe unterrühren und das Dressing abschmecken. Den Rucola mit dem Dressing mischen und mit den Avocadokugeln anrichten. Die Tofuspieße dazu genießen.

RETTICH-RADIESCHEN-TELLER
MIT RICOTTA-KLÖSSCHEN

250 g Ricotta (siehe Tipp)
1 Handvoll Kerbel
1 Rettich
Salz
1 Bund Radieschen
2 Schalotten
3 EL Apfelessig
Pfeffer aus der Mühle
2 EL Olivenöl
1 EL Walnussöl
50 ml Gemüsebrühe
etwas Zitronenpfeffer

20 Min.

Pro Portion 320 kcal | 17 g EW | 14 g F | 8 g KH

1. Den Ricotta in ein feines Sieb geben und gut abtropfen lassen. Inzwischen den Kerbel waschen, trocken schütteln und die Blättchen abzupfen. Den Rettich schälen, in dünne Scheiben oder Spiralen hobeln und mit etwas Salz bestreuen. Radieschen putzen, waschen und vierteln oder achteln. Die Schalotten schälen und in dünne Scheiben schneiden.

2. Den Essig mit Salz und Pfeffer verrühren und beide Ölsorten unterschlagen. Die Brühe unterrühren und die Schalotten dazugeben. Den Rettich trocken tupfen und mit den Radieschen auf Tellern anrichten. Das Dressing darüber verteilen.

3. Die Hälfte des Kerbels fein hacken und unter den Ricotta rühren, mit Salz und Zitronenpfeffer würzen. Mit einem Eisportionierer Kugeln aus der Ricottamasse stechen und auf die Rettich-Radieschen-Teller setzen. Zuletzt den restlichen Kerbel darüberstreuen.

tipp Ricotta ist ein milder, cremiger Frischkäse aus Italien, der auch bei uns in Supermärkten erhältlich ist. Wenn Ihnen das Abtropfen und Formen zu aufwendig ist, geben Sie die Käsecreme einfach mit einem Löffel auf das Gemüse. Alternativ können Sie Quark (20 % Fett) oder eine Mischung aus Magerquark und leichtem Frischkäse verwenden, ebenfalls abgeschmeckt mit Kerbel, Salz und Zitronenpfeffer.

SIS-SUSHI
MIT LACHS UND GURKE

½ Stange Lauch (nur der grüne Teil)
1 große (Bio-)Salatgurke
4 EL helle Sojasauce
2 – 3 TL Wasabi-Paste
Pfeffer aus der Mühle | Salz
100 g Surimi-Sticks
100 g gegarte, geschälte Garnelen
200 g Lachsfilet (Sushi-Qualität)
ca. 20 g eingelegter Sushi-Ingwer

30 Min.

Pro Portion 345 kcal | 38 g EW | 16 g F | 12 g KH

1. Den Lauch putzen, gründlich waschen und in lange Streifen schneiden. Die Gurke waschen und quer in 4 – 5 cm lange Stücke schneiden. Diese längs vierteln und die Kerne mit einem Löffel herauskratzen.

2. Die Sojasauce mit Wasabi-Paste und Pfeffer verrühren. Die Gurkenstücke darin wenden und zugedeckt einige Minuten durchziehen lassen. 2 – 3 l Salzwasser in einem Topf aufkochen und die Lauchstreifen darin 1 – 2 Min. garen. In ein Sieb abgießen, kalt abschrecken und gut abtropfen lassen.

3. Die Surimi-Sticks halbieren. Garnelen und Lachs abbrausen und trocken tupfen, den Lachs in Scheiben schneiden. Den Ingwer in Streifen schneiden. Auf jedes Gurkenstück etwas Ingwer, 1 Surimi-Stück und 1 Garnele oder Lachsscheibe setzen und jedes Päckchen mit 1 Lauchstreifen umwickeln.

HÄHNCHENSALAT
MIT BASILIKUM

400 g Hähnchenbrustfilet
4 Stangen Staudensellerie
150 ml Geflügelbrühe
1 Bund Basilikum
1 Radicchio
150 g fettarmer Frischkäse (5 % Fett)
Salz | Pfeffer aus der Mühle
1 EL Zitronensaft

2 Personen · 30 Min.

Pro Portion 300 kcal | 38 g EW | 6 g F | 6 g KH

1. Das Hähnchenbrustfilet abbrausen, trocken tupfen und in 1 – 2 cm große Würfel schneiden. Den Sellerie putzen, waschen und in dünne Scheiben schneiden. Die Brühe in einem Topf aufkochen, Fleisch und Sellerie darin zugedeckt ca. 5 Min. garen. Danach in der Brühe abkühlen lassen.

2. Das Basilikum waschen, trocken schütteln und die Blättchen abzupfen. Den Radicchio putzen, waschen, trocken schleudern und in Blätter zerlegen oder in Streifen schneiden.

3. Hähnchen und Sellerie abtropfen lassen, die Brühe dabei auffangen. Den Frischkäse mit etwas Brühe glatt rühren und mit Salz, Pfeffer und Zitronensaft abschmecken.

4. Radicchio und Basilikum mischen, auf Teller verteilen und die Hähnchen-Sellerie-Mischung sowie das Dressing darübergeben.

GEFÜLLTE EIER
AUF SPINATSALAT

4 Eier
2 dünne Frühlingszwiebeln
1 kleines Glas Forellenkaviar (50 g, siehe Tipp)
2 Stiele Dill
1 Handvoll Spinatblätter
4 – 5 Radieschen
3 EL Himbeeressig
Salz | Pfeffer aus der Mühle
1 TL mittelscharfer Senf
2 EL Rapsöl
1 EL Ricotta (oder fettarmer Frischkäse, 5 % Fett)

30 Min.

Pro Portion 360 kcal | 28 g EW | 25 g F | 4 g KH

1. Die Eier in kochendem Wasser zugedeckt in ca. 10 Min. hart kochen. Inzwischen die Frühlingszwiebeln putzen, waschen und in sehr feine Würfel schneiden. Den Forellenkaviar bei Bedarf in ein Sieb geben und abtropfen lassen. Den Dill waschen, trocken schütteln und die Spitzen abzupfen.

2. Den Spinat verlesen, waschen und trocken schleudern, dabei die groben Stiele entfernen. Die Radieschen putzen, waschen und in Scheiben oder feine Streifen schneiden. Den Essig mit Salz, Pfeffer und Senf verrühren, dann das Öl unterschlagen. Den Spinat und die Radieschen auf Teller verteilen und das Dressing darüberträufeln.

3. Die Eier kalt abschrecken, pellen und halbieren. Das Eigelb mit einer Gabel zerdrücken und mit Frühlingszwiebeln, Ricotta, Salz und Pfeffer mischen.

4. Jeweils etwas Forellenkaviar in die Eiweißhälften füllen, die Eigelbmischung daraufgeben und mit dem restlichen Forellenkaviar belegen. Die gefüllten Eier auf das Salatbett setzen und mit Dillspitzen garnieren.

tipp Bei Forellenkaviar handelt es sich um den Rogen der beliebten, heute fast ausschließlich gezüchteten Süßwasserfische. Er ist leuchtend orange und nicht schwarz wie der legendäre und sehr teure Klassiker, der vom Stör stammt.

FRIKADELLEN
MIT BÄRLAUCH

1 Bund Bärlauch (ca. 40 g)
400 g Putenhackfleisch
Salz | Pfeffer aus der Mühle
1 EL Öl
200 g passierte Tomaten (aus dem Tetrapak)
100 g Kochsahne (15 % Fett)
frisch geriebene Muskatnuss

30 Min.

Pro Portion 365 kcal | 49 g EW | 17 g F | 7 g KH

1. Den Bärlauch waschen und trocken schütteln, grobe Stiele entfernen und die Blätter fein hacken. Mit dem Hackfleisch mischen und mit Salz und Pfeffer würzen.

2. Mit angefeuchteten Händen aus der Bärlauch-Hack-Masse 8 – 10 Bällchen formen und diese etwas flach drücken. Das Öl in einer beschichteten Pfanne erhitzen und die Frikadellen darin rundum goldgelb anbraten. Dann bei mittlerer Hitze noch ca. 10 Min. braten, dabei ab und zu wenden.

3. Inzwischen die passierten Tomaten mit der Sahne in einem kleinen Topf aufkochen. Die Sauce mit Salz, Pfeffer und etwas Muskatnuss kräftig abschmecken und mit den Bärlauchfrikadellen anrichten.

OFENGEMÜSE
MIT SCHINKEN

1 Gemüsezwiebel | 1 kleine Aubergine
1 Zucchino | 2 Fleischtomaten
100 g gekochter Schinken (am Stück)
1 Knoblauchzehe | 2 EL Öl
2 EL Gemüsebrühe | 1 TL getrockneter Thymian
Salz | Pfeffer aus der Mühle
30 g Mandelblättchen | 30 g Parmesan (am Stück)

Außerdem:
1 flache Auflaufform

20 Min. + 25 Min. Garen

Pro Portion 377 kcal | 24 g EW | 24 g F | 14 g KH

1. Den Backofen auf 200° vorheizen. Die Zwiebel schälen und in Spalten schneiden. Aubergine und Zucchino putzen, waschen und in dicke Scheiben schneiden. Die Tomaten waschen und halbieren, dabei die Stielansätze entfernen. Das Gemüse nebeneinander in die Form legen. Den Schinken in Würfel schneiden und dazwischen verteilen.

2. Den Knoblauch schälen, durchpressen und mit Öl, Brühe und Thymian verrühren. Das Gemüse mit dem Würzöl dünn bestreichen und mit Salz und Pfeffer würzen.

3. Die Mandelblättchen über dem Gemüse und dem Schinken verteilen. Vom Parmesan mit einem Sparschäler feine Späne abziehen und ebenfalls über das Gemüse und den Schinken streuen. Im Ofen (Mitte) ca. 25 Min. garen.

GURKENGEMÜSE
MIT EIERN

1 große Salatgurke
1 rote Zwiebel
1 TL Öl
1 Knoblauchzehe
1 TL edelsüßes Paprikapulver
½ – 1 TL rosenscharfes Paprikapulver
100 ml Gemüsebrühe
4 Eier
75 g Schmand
Salz | Pfeffer aus der Mühle

30 Min.

Pro Portion 340 kcal | 20 g EW | 23 g F | 11 g KH

1. Die Gurke schälen, längs halbieren und die Kerne mit einem Löffel herauskratzen. Dann die Hälften in 1 – 2 cm dicke, halbmondförmige Scheiben schneiden.

2. Die Zwiebel schälen, in feine Spalten schneiden und in einem Topf im heißen Öl leicht anbraten. Den Knoblauch schälen und dazupressen. Die Gurken dazugeben und beide Paprikapulver darüberstäuben. Alles verrühren, mit der Brühe ablöschen und zugedeckt bei mittlerer Hitze ca. 10 Min. köcheln lassen.

3. Inzwischen die Eier in kochendem Wasser zugedeckt in ca. 8 Min. wachsweich kochen. Kalt abschrecken, pellen und halbieren.

4. Den Schmand zum Gurkengemüse geben, alles nochmals aufkochen und mit Salz und Pfeffer abschmecken. Das Gurkengemüse mit den Eierhälften anrichten.

SPITZKOHL
AUS DEM WOK

je 10 g getrocknete Shiitake- und Mu-Err-Pilze
2 dünne Frühlingszwiebeln
400 g Spitzkohl
1 TL Kreuzkümmelsamen | 1 TL Sojaöl
1 kleine Dose Kokosmilch (165 ml)
1 TL Fünf-Gewürze-Pulver
2 EL helle Sojasauce
4 Eier
1 TL gemahlene Kurkuma
Salz | Pfeffer aus der Mühle

30 Min. + 15 Min. Quellen

Pro Portion 413 kcal | 21 g EW | 29 g F | 15 g KH

1. Die getrockneten Pilze in ¼ l warmem Wasser ca. 15 Min. einweichen. Frühlingszwiebeln putzen, waschen und schräg in Ringe schneiden. Spitzkohl putzen, vierteln, entstrunken und waschen. Viertel quer in schmale Streifen schneiden. Pilze abgießen, das Einweichwasser dabei auffangen. Pilze klein schneiden, die Stiele der Shiitake-Pilze entfernen.

2. Kreuzkümmel im Wok im heißen Öl anrösten, Kohl und Pilze ca. 2 Min. mit andünsten. Kokosmilch und Einweichwasser dazugießen, mit Gewürzpulver und Sojasauce würzen. Offen bei mittlerer Hitze ca. 5 Min. kochen.

3. Eier verquirlen und mit Kurkuma, Salz und Pfeffer würzen. Daraus in einer beschichteten Pfanne ohne Fett bei mittlerer Hitze zwei dünne Omeletts backen, die Omeletts in Streifen schneiden. Das Gemüse mit Frühlingszwiebeln und Omelettstreifen garnieren.

BUNTES GEMÜSE
AUS DEM PERGAMENTPÄCKCHEN

1 Knoblauchzehe
1 kleine getrocknete Chilischote
1 TL gemahlene Fenchelsamen
Salz | Pfeffer aus der Mühle
3 EL Olivenöl
2 Stangen Staudensellerie
250 g Blumenkohl
1 Zucchino
1 kleine rote Paprikaschote
2 rote Zwiebeln
1 Zimtstange
500 g Magerquark
etwas Mineralwasser (mit Kohlensäure)
1 Pck. gemischte TK-Kräuter

Außerdem:
Küchengarn
Backpapier

30 Min. + 40 Min. Garen

Pro Portion 390 kcal | 41 g EW | 14 g F | 17 g KH

1. Den Backofen auf 200° vorheizen, zwei Blätter Backpapier auf einem Brett bereitlegen. Den Knoblauch schälen und fein hacken. Die Chilischote zerbröseln. In einer großen Schüssel Knoblauch, Chilibrösel, Fenchelsamen, Salz und Pfeffer mit dem Öl verrühren.

2. Sellerie, Blumenkohl und Zucchino putzen und waschen. Den Sellerie in ca. 5 cm lange Stücke schneiden, den Blumenkohl in Röschen teilen, den Zucchino in dünne Scheiben schneiden. Die Paprikaschote längs halbieren, entkernen, waschen und in Streifen schneiden. Die Zwiebeln schälen und vierteln oder achteln. Die Zimtstange halbieren.

3. Gemüse und Zwiebeln im Würzöl wenden und jeweils die Hälfte davon mit 1 Zimtstück in die Mitte eines Backpapiers setzen. Das Papier über dem Gemüse falten, die Seiten wie bei einem Bonbon zusammendrehen und die Päckchen mit Küchengarn verschnüren.

4. Die Päckchen auf ein Backblech setzen und im Ofen (unten) ca. 40 Min. garen. Währenddessen den Quark mit dem Mineralwasser cremig rühren, mit den Kräutern mischen und mit Salz und Pfeffer abschmecken.

5. Die Gemüsepäckchen aus dem Ofen nehmen und auf Teller setzen. Das Papier öffnen und den Kräuterquark dazu servieren.

SPIEGELEIER
IN MEDITERRANEM GEMÜSE

2 Zwiebeln
1 rote Paprikaschote
1 Zucchino
2 EL Olivenöl
1 kleine Knoblauchzehe
1 kleine Dose gehackte Tomaten (400 g)
Salz | Pfeffer aus der Mühle
1 TL Majoran
4 Eier

35 Min.

Pro Portion 350 kcal | 23 g EW | 23 g F | 13 g KH

1. Zwiebeln schälen und in Ringe schneiden. Paprika längs halbieren, entkernen, waschen und in Streifen schneiden. Zucchino putzen, waschen und in Scheiben schneiden.

2. Die Zwiebeln in einer großen Pfanne im heißen Öl goldgelb anbraten. Die Paprika und den Zucchino dazugeben und leicht anbraten. Knoblauch schälen und dazupressen. Die Tomaten hinzufügen, alles mit Salz, Pfeffer und Majoran würzen und offen bei mittlerer Hitze ca. 10 Min. köcheln lassen. Die Flüssigkeit soll fast vollständig verdunsten.

3. Dann mit einem Löffel in das Gemüse vier Mulden drücken. Die Eier einzeln aufschlagen und jeweils in eine Mulde gleiten lassen. Dabei das Eiweiß mit einer Gabel vorsichtig unter das Gemüse mischen, das Eigelb sollte ganz bleiben. Alles offen noch 6 – 8 Min. garen, bis das Eiweiß gestockt ist.

ROTKOHLTOPF
MIT SCHINKEN UND EI

1 kleiner Rotkohl (ca. 500 g)
1 Zwiebel
1 TL Rapsöl
2 EL Apfelessig
½ l Gemüsebrühe
½ – 1 TL gemahlener Koriander
100 g gekochter Schinken (am Stück)
30 g Sonnenblumenkerne
2 hart gekochte Eier
Salz | Pfeffer aus der Mühle

40 Min.

Pro Portion 390 kcal | 28 g EW | 25 g F | 12 g KH

1. Den Rotkohl putzen, vierteln, entstrunken und waschen. Die Viertel quer in schmale Streifen schneiden oder hobeln.

2. Die Zwiebel schälen und fein würfeln. Das Öl in einem Topf leicht erhitzen und die Zwiebel darin anbraten. Den Rotkohl dazugeben und andünsten, dann mit Essig und Brühe ablöschen und mit Koriander würzen. Alles aufkochen und bei schwacher Hitze zugedeckt ca. 15 Min. köcheln lassen.

3. Inzwischen den Kochschinken würfeln. Die Sonnenblumenkerne in einer kleinen beschichteten Pfanne ohne Fett goldgelb rösten, herausnehmen. Die Eier pellen und würfeln.

4. Den Schinken zum Rotkohl geben und alles mit Salz und Pfeffer abschmecken. Zuletzt die Sonnenblumenkerne und das gehackte Ei über den Rotkohltopf streuen.

SPARGELTELLER
ALL'ITALIANA

je 500 g weißer und grüner Spargel
Salz
1 TL Butter
1 Handvoll Rucola
100 g Kirschtomaten
50 g Parmesan (am Stück)
100 g Mortadella (oder gekochter Schinken, in dünnen Scheiben)
2 EL Zitronenolivenöl (siehe S. 136)

40 Min.

Pro Portion 325 kcal | 27 g EW | 19 g F | 10 g KH

1. Den Spargel waschen, den weißen ganz, den grünen nur im unteren Drittel schälen und die Enden abschneiden. In einem hohen (Spargel-)Topf etwas Salzwasser aufkochen und die Butter hineingeben. Die Spargelstangen nach Belieben bündeln, in den Topf stellen und darin zugedeckt bissfest garen. Weißer Spargel benötigt 10 – 15 Min., grüner Spargel ist etwas schneller gar.

2. Inzwischen den Rucola verlesen, waschen und trocken schütteln, dabei grobe Stiele entfernen. Die Tomaten waschen und nach Belieben halbieren. Vom Parmesan mit einem Sparschäler feine Späne abziehen.

3. Den Spargel gut abtropfen lassen und mit Mortadella, Rucola und Tomaten auf Tellern anrichten. Das Öl darüberträufeln und den Parmesan darüberstreuen.

SPARGEL
MIT SCHINKENCREME

1 kg weißer Spargel
Salz
1 TL Butter
100 g gekochter Schinken (am Stück)
1 Kästchen Gartenkresse
200 g fettarmer Frischkäse (5 % Fett)
1 EL Zitronensaft
Pfeffer aus der Mühle
30 g Pinienkerne

40 Min.

Pro Portion 354 kcal | 40 g EW | 15 g F | 14 g KH

1. Den Spargel waschen, schälen und die Enden abschneiden. Die Stangen quer halbieren oder dritteln. Wenig Salzwasser in einem Topf aufkochen, Butter und Spargel hineingeben und die Stangen zugedeckt je nach Dicke in 10 – 15 Min. bissfest garen.

2. Inzwischen den Schinken grob würfeln. Die Kresse vom Beet schneiden und zwei Drittel davon mit den Schinkenwürfeln und dem Frischkäse mit dem Stabmixer cremig pürieren. Falls die Creme zu fest ist, noch etwas Wasser dazugeben. Die Schinkencreme mit Zitronensaft, Pfeffer und eventuell etwas Salz abschmecken.

3. Die Pinienkerne in einer kleinen beschichteten Pfanne ohne Fett leicht rösten und herausnehmen. Den Spargel abtropfen lassen, mit der Schinkencreme und mit übriger Kresse und Pinienkernen bestreut anrichten.

MANGOLDPÄCKCHEN
MIT PILZEN UND TOMATEN

10 g getrocknete Misch- oder Steinpilze
1 große Staude Mangold (ca. 600 g)
1 kleine Zwiebel
2 EL Olivenöl
2 TL mittelscharfer Senf
Salz | Pfeffer aus der Mühle
50 g geriebener Emmentaler
150 g braune Champignons
1 kleine Dose gehackte Tomaten (400 g)

Außerdem:
Küchengarn

50 Min.

Pro Portion 280 kcal | 19 g EW | 17 g F | 10 g KH

1. Die Trockenpilze in etwas heißem Wasser ca. 15 Min. quellen lassen. Inzwischen den Strunk vom Mangold entfernen, die Blätter waschen und trocken schleudern. Die grünen Anteile von den Stielen schneiden, Stiele klein würfeln. Zwiebel schälen und fein würfeln. In einem breiten Topf ca. 3 l Wasser aufkochen.

2. In einem zweiten Topf die Zwiebel in 1 EL Öl leicht anbraten. Mangoldstiele mit andünsten, mit Senf, Salz und Pfeffer würzen. Getrocknete Pilze mit Einweichwasser hinzufügen, alles offen bei schwacher Hitze ca. 5 Min. garen.

3. Die Mangoldblätter in kochendem Wasser ca. 30 Sek. vorgaren. In ein Sieb abgießen, kalt abschrecken und abtropfen lassen. Je 2 oder 3 Blätter aufeinanderlegen, dabei, falls nötig, harte Stiele herausschneiden. Jeweils etwas Käse daraufstreuen und 1 – 2 EL Stielgemüse daraufsetzen. Die Blattränder über die Füllung klappen und die Blätter zu Päckchen aufrollen, mit Küchengarn fixieren.

4. Die Pilze putzen, bei Bedarf abreiben und in Scheiben schneiden. Das übrige Öl in einem Topf erhitzen und die Mangoldpäckchen darin rundum kurz anbraten. Herausnehmen und die Pilze im Topf leicht anbraten. Die Tomaten hinzufügen, alles salzen und pfeffern und aufkochen. Die Päckchen wieder dazugeben und zugedeckt noch ca. 10 Min. garen, dann herausnehmen und warm halten. Das übrige Stielgemüse zur Tomatensauce geben, alles nochmals aufkochen und abschmecken. Mit den Mangoldpäckchen anrichten.

TOFUSCHNITZEL
MIT ZUCCHINI

1 kleine Knoblauchzehe | 2 EL Zitronensaft
1 TL geriebener Meerrettich (frisch oder aus dem Glas)
1 TL getrockneter Thymian
Salz | Pfeffer aus der Mühle
300 g fester Tofu
1 Zwiebel | 500 g Zucchini
2 EL Öl
1 kleine Dose gehackte Tomaten (400 g)
2 Scheiben Eiweiß-Abendbrot (à ca. 35 g)

30 Min.

Pro Portion 380 kcal | 28 g EW | 22 g F | 17 g KH

1. Den Knoblauch schälen, durchpressen und mit Zitronensaft, Meerrettich, Thymian, Salz und Pfeffer verrühren. Den Tofu in breite Scheiben schneiden, mit der Marinade bestreichen und beiseitestellen. Die Zwiebel schälen und fein würfeln. Die Zucchini putzen, waschen und in dicke Stifte schneiden.

2. In einer beschichteten Pfanne 1 EL Öl erhitzen und den Tofu darin auf jeder Seite 3–4 Min. braten. Gleichzeitig das übrige Öl in einem Topf erhitzen und die Zwiebel darin anbraten. Zucchini dazugeben und leicht anbraten, dann die Tomaten hinzufügen. Alles salzen und pfeffern und offen bei mittlerer Hitze ca. 5 Min. köcheln lassen.

3. Das Zucchinigemüse mit Salz und Pfeffer abschmecken. Die Tofuschnitzel nach Belieben mit Salz und Pfeffer würzen und mit dem Gemüse anrichten. Das Brot dazu reichen.

OFENTOMATEN
MIT TOFU UND ZWIEBELN

6 Fleischtomaten
Salz | Pfeffer aus der Mühle
3 Frühlingszwiebeln
1 EL Olivenöl | 1 kleine Knoblauchzehe
1 TL getrockneter Thymian
150 g Räuchertofu
75 g geriebener Emmentaler

Außerdem:
1 flache Auflaufform

25 Min. + 15 Min. Backen

Pro Portion 340 kcal | 27 g EW | 21 g F | 10 g KH

1. Den Backofen auf 200° vorheizen. Die Fleischtomaten waschen, am Stielende einen Deckel abschneiden und die Früchte mit einem spitzen Messer und einem Esslöffel vorsichtig aushöhlen. Innen salzen und pfeffern.

2. Die Frühlingszwiebeln putzen, waschen und in feine Ringe schneiden. Das Öl in einer kleinen Pfanne erhitzen und die Frühlingszwiebeln darin anbraten. Den Knoblauch schälen und dazupressen. Den Thymian hinzufügen und alles ca. 3 Min. sanft garen.

3. Den Tofu in kleine Würfel schneiden und mit den gegarten Frühlingszwiebeln und dem Emmentaler mischen. Die Tomaten mit der Tofumischung füllen, in die Form setzen und im Ofen (Mitte) ca. 15 Min. überbacken.

SEITAN-STEAKS
MIT TOMATENSAUCE

3 – 4 Stiele Rosmarin
2 Knoblauchzehen
1 EL Olivenöl
2 Scheiben Seitan-Braten (à ca. 150 g)
Salz | Pfeffer aus der Mühle
1 Fenchelknolle
1 Dose geschälte gehackte Tomaten (400 g)

25 Min.

Pro Portion 384 kcal | 52 g EW | 12 g F | 15 g KH

1. Den Rosmarin waschen und trocken schütteln, die Nadeln abzupfen und grob hacken. Die Knoblauchzehen schälen und in dünne Scheiben schneiden.

2. Das Öl in einer beschichteten Pfanne erhitzen und die Seitan-Steaks darin von beiden Seiten kurz anbraten. Rosmarin und Knoblauch dazugeben, alles mit Salz und Pfeffer würzen und bei mittlerer Hitze ca. 10 Min. braten. Dabei die Steaks ab und zu wenden.

3. Inzwischen den Fenchel putzen, waschen und in feine Streifen schneiden. Mit den Tomaten in einem kleinen Topf zum Kochen bringen und offen ca. 5 Min. köcheln lassen. Zum Schluss mit Salz und Pfeffer abschmecken und mit den Steaks anrichten.

OMELETT
MIT RATATOUILLE

1 Zwiebel
1 rote Paprikaschote
1 kleiner Zucchino
1 EL Olivenöl
1 kleine Dose geschälte Tomaten (400 g)
Salz | Pfeffer aus der Mühle
1 TL Majoran
1 TL Butter
5 Eier
etwas Chilipulver

30 Min.

Pro Portion 375 kcal | 25 g EW | 23 g F | 13 g KH

1. Zwiebel schälen, fein würfeln. Paprika längs halbieren, entkernen und waschen. Zucchino putzen und waschen, beides klein würfeln.

2. Zwiebel und Gemüse in einem Topf im heißen Öl unter Rühren 2 – 3 Min. anbraten. Die Tomaten mit Saft dazugeben, dabei etwas zerdrücken. Alles mit Salz, Pfeffer und Majoran würzen, offen ca. 5 Min. köcheln lassen. Die Flüssigkeit soll fast vollständig verdunsten.

3. Inzwischen die Butter in einer beschichteten Pfanne zerlassen. Die Eier verquirlen, mit Salz, Pfeffer und Chilipulver würzen und in der Pfanne verteilen. Das Omelett zugedeckt bei schwacher Hitze ca. 5 Min. stocken lassen.

4. Das Omelett aus der Pfanne nehmen, in Viertel schneiden und mit dem Ratatouille anrichten. Nach Belieben noch etwas Chilipulver darüberstreuen.

CHICORÉE
MEDITERRANE ART

500 g Chicorée
4 Stiele Oregano
6 in Marinade eingelegte, getrocknete Tomaten
75 g Putenbrustaufschnitt (in dünnen Scheiben)
2 EL Olivenöl | 2 EL Zitronensaft
Salz | Pfeffer aus der Mühle
50 g geriebener Mozzarella | 2 EL Pinienkerne

Außerdem:
1 breite Auflaufform

35 Min. + 25 Min. Garen

Pro Portion 400 kcal | 26 g EW | 28 g F | 7 g KH

1. Den Backofen auf 175° vorheizen. Den Chicorée putzen (dabei den Strunk entfernen), vierteln, waschen und trocken schleudern. Die Viertel nebeneinander in die Form legen.

2. Den Oregano waschen, trocken schütteln und die Blättchen abzupfen. Die Tomaten abtropfen lassen und in Streifen schneiden. Den Putenbrustaufschnitt fein würfeln. Oregano, Tomaten und Putenbrust auf den Chicoréeblättern verteilen.

3. Das Öl mit dem Zitronensaft verrühren, kräftig salzen und pfeffern und über den Chicorée träufeln. Den Mozzarella und die Pinienkerne darüberstreuen und alles im Ofen (Mitte) ca. 25 Min. garen.

BROKKOLI
MIT CURRY-QUARK-HAUBE

500 g Brokkoli | Salz
1 kleine rote Paprikaschote
2 Eier | 350 g Magerquark
2 EL gemahlene Mandeln (ca. 15 g)
1 – 2 EL Currypulver | Pfeffer aus der Mühle
2 EL Mandelblättchen (ca. 15 g)
30 g geriebener Pizzakäse

Außerdem:
1 breite Auflaufform

30 Min. + 35 Min. Garen

Pro Portion 450 kcal | 46 g EW | 21 g F | 13 g KH

1. Den Backofen auf 175° vorheizen. Den Brokkoli putzen, waschen und grob zerteilen, dabei die dicken Stiele schälen und klein schneiden. Den Brokkoli zugedeckt in wenig Salzwasser ca. 5 Min. dünsten, dann in ein Sieb abgießen und gut abtropfen lassen.

2. Die Paprika längs halbieren, entkernen, waschen und in feine Streifen schneiden. Mit dem Brokkoli in der Form verteilen.

3. Die Eier trennen und die Eiweiße mit den Schneebesen des Handrührgeräts zu steifem Schnee schlagen. Die Eigelbe mit dem Quark und den gemahlenen Mandeln verrühren, mit Currypulver, Salz und Pfeffer würzen und den Eischnee unterheben. Den Guss über dem Gemüse verteilen und Mandeln und Käse darüberstreuen. Das Brokkoligemüse im Ofen (Mitte) ca. 35 Min. garen.

SCHAFSKÄSE
IM AROMAPÄCKCHEN

2 fettarme Schafskäse (Feta »light«, à ca. 180 g)
6 Schalotten
1 kleine Knoblauchzehe
Salz | Pfeffer aus der Mühle
edelsüßes Paprikapulver
1 kleiner Eisbergsalat
4 EL Aceto balsamico
1 kleine rote Paprikaschote

Außerdem:
Alufolie

20 Min. + 30 Min. Garen

Pro Portion 340 kcal | 36 g EW | 16 g F | 9 g KH

1. Den Backofen auf 200° vorheizen, zwei Bögen Alufolie auf einem Backblech bereitlegen und je 1 Schafskäse in die Mitte der Folien legen.

2. Die Schalotten schälen und in Scheiben schneiden. Den Knoblauch schälen und in feine Stifte schneiden. Beides auf dem Käse verteilen und mit Salz, Pfeffer und Paprikapulver würzen. Die Alufolie an den Seiten nach oben nehmen und über dem Käse zusammenfalten. Die Käsepäckchen im Ofen (Mitte) ca. 30 Min. garen.

3. Inzwischen den Salat putzen, vierteln, waschen und trocken schütteln. Je 2 Viertel auf einen Teller setzen und mit Essig beträufeln.

4. Die Paprikaschote längs halbieren, entkernen, waschen und klein würfeln. Die Käsepäckchen zum Salat auf die Teller setzen und die Folie öffnen. Die Paprikawürfel darüberstreuen und alles sofort servieren.

tipp Super fürs Grillfest: Die Päckchen können Sie auch zum BBQ mitnehmen und auf dem Grill zubereiten.

PUTENRÖLLCHEN
MIT RAHMSELLERIE

4 kleine, dünne Putenschnitzel (à ca. 80 g)
Salz | Pfeffer aus der Mühle
2 dünne Scheiben magerer Rohschinken (ca. 30 g)
1 Gemüsezwiebel | 150 g Knollensellerie
1 EL Olivenöl | 125 ml Geflügelbrühe
100 g Kochsahne (15 % Fett)
frisch geriebene Muskatnuss
2 EL gehackte Petersilie

Außerdem:
4 kleine Holzspieße

30 Min.

Pro Portion 410 kcal | 52 g EW | 19 g F | 9 g KH

1. Fleisch abbrausen und trocken tupfen. Einzeln zwischen 2 Lagen Frischhaltefolie flach klopfen, salzen und pfeffern. Schinkenscheiben halbieren, je 1 Hälfte auf ein Schnitzel legen. Aufrollen und mit Spieß fixieren.

2. Zwiebel und Sellerie schälen und sehr fein würfeln. Die Zwiebel in einem Topf in 1 TL Öl glasig braten, Sellerie mit andünsten. Alles mit Brühe ablöschen und zugedeckt ca. 5 Min. köcheln lassen. Inzwischen die Putenröllchen in einer Pfanne im übrigen Öl rundum erst bei starker Hitze anbraten, dann bei mittlerer Hitze noch ca. 10 Min. garen.

3. Die Sahne zum Gemüse gießen und die Flüssigkeit offen bei starker Hitze einkochen lassen, bis eine leicht cremige Sauce entstanden ist. Die Sauce mit Salz, Pfeffer und etwas Muskatnuss abschmecken und mit Petersilie bestreut zu den Putenröllchen servieren.

PUTEN-GYROS
MIT TSATSIKI

300 g Putenbrustfilet
1 EL Olivenöl | 1 EL Gyrosgewürz
1 Stück Salatgurke
1 kleine Knoblauchzehe
250 g griechischer Joghurt (10 % Fett)
Salz | Pfeffer aus der Mühle
2 Zwiebeln
2 kleine Zucchini
zerbröselte, getrocknete Chilischoten (nach Belieben)

30 Min.

Pro Portion 370 kcal | 42 g EW | 19 g F | 9 g KH

1. Das Putenfleisch abbrausen, trocken tupfen und in schmale Streifen schneiden. Das Öl mit dem Gyrosgewürz verrühren, das Fleisch darin wenden und zugedeckt beiseitestellen.

2. Die Gurke schälen und raspeln, Knoblauch schälen und durchpressen. Beides mit dem Joghurt verrühren, salzen und pfeffern.

3. Die Zwiebeln schälen, halbieren und in Scheiben schneiden. Die Zucchini putzen, waschen und längs halbieren, die Hälften in dünne Scheiben schneiden.

4. Eine beschichtete Pfanne erhitzen und das Fleisch darin unter Rühren 1 – 2 Min. braten. Die Zwiebeln und Zucchini dazugeben und alles bei schwacher Hitze noch 3 – 4 Min. braten. Das Gyros mit Salz und Pfeffer würzen und mit dem Tsatsiki anrichten. Die Chilibrösel nach Geschmack darüberstreuen.

WÜRZHÄHNCHEN
MIT RADICCHIO

1 Bio-Zitrone
1 kleine Knoblauchzehe
2 EL Olivenöl
Pfeffer aus der Mühle
350 g dünne Hähnchenschnitzel
2 kleine Radicchio
1 EL Butter
Salz
1 kleines Römersalatherz
½ TL edelsüßes Paprikapulver

30 Min. + 1 Std. Marinieren

Pro Portion 350 kcal | 43 g EW | 19 g F | 2 g KH

1. Die Zitrone heiß waschen, abtrocknen und halbieren. Von einer Hälfte die Schale abreiben und den Saft auspressen. Die andere Hälfte vierteln oder in Scheiben schneiden. Knoblauch schälen, durchpressen und mit Zitronensaft und -schale, Öl, Salz und Pfeffer verrühren. Das Fleisch abbrausen, trocken tupfen und im Würzöl ca. 1 Std. marinieren.

2. Den Radicchio putzen, vierteln, waschen und trocken schütteln. Die Radicchioviertel in der heißen Butter kurz schwenken, salzen und pfeffern. Das Hähnchen in einer beschichteten Pfanne auf jeder Seite ca. 3 Min. braten, dabei salzen und Zitronenstücke dazugeben.

3. Das Salatherz putzen, waschen, trocken schleudern und klein hacken. Den Salat ebenfalls zum Radicchio geben und mit den Hähnchenschnitzeln anrichten. Zuletzt das Paprikapulver darüberstäuben.

HÄHNCHEN
MIT KORIANDERBUTTER

1 große Salatgurke
10 Stiele Koriandergrün
½ Bund Schnittlauch
150 g Joghurt
Salz | Pfeffer aus der Mühle
4 kleine Hähnchenschnitzel (à ca. 80 g)
1 – 2 TL Korianderkörner
30 g Butter

25 Min.

Pro Portion 360 kcal | 44 g EW | 17 g F | 8 g KH

1. Die Gurke schälen, längs halbieren und die Kerne mit einem Löffel herauskratzen. Die Gurkenhälften in Scheiben schneiden. Koriandergrün und Schnittlauch waschen und trocken schütteln. Korianderblättchen abzupfen und fein hacken, Schnittlauch in Röllchen schneiden. Beides mit dem Joghurt verrühren, mit Salz und Pfeffer würzen. Das Dressing mit den Gurken mischen.

2. Fleisch abbrausen und trocken tupfen. Korianderkörner in einer beschichteten Pfanne ohne Fett rösten, dann im Mörser zerdrücken.

3. Die Butter in der Pfanne zerlassen und die Hähnchenschnitzel darin bei mittlerer Hitze ca. 10 Min. sanft braten. Das Fleisch mit Koriander bestreuen, mit Salz und Pfeffer würzen und ab und zu wenden. Den Gurkensalat abschmecken und mit den Schnitzeln und der Korianderbutter anrichten.

FRIKADELLEN
LIBANESISCHE ART

1 Aubergine
2 Knoblauchzehen | 1 Schalotte
250 g mageres Rinderhackfleisch
2 TL Sesamsamen (ca. 10 g)
Salz | Pfeffer aus der Mühle
1 TL Ras-el-Hanout (arab. Gewürzmischung)
1 EL Ajvar (türk. Paprikacreme)
1 EL Olivenöl | 2 EL Zitronensaft
2 EL gehacktes Koriandergrün
200 g fettarmer Joghurt (1,5 % Fett)

40 Min. + 30 Min. Garen

Pro Portion 343 kcal | 31 g EW | 20 g F | 11 g KH

1. Backofen auf 250° vorheizen. Aubergine putzen, waschen und auf dem Blech im Ofen ca. 30 Min. garen. Inzwischen 1 Knoblauchzehe und die Schalotte schälen und fein würfeln. Hackfleisch mit beidem gut verkneten und mit Sesam, Salz, Pfeffer, Ras-el-Hanout und Ajvar würzen. Mit angefeuchteten Händen aus der Masse ca. 12 Frikadellen formen. Das Öl in einer Pfanne erhitzen und die Frikadellen darin rundum bei starker Hitze anbraten. Dann noch ca. 10 Min. braten.

2. Die gebackene Aubergine kalt abschrecken und häuten. Das Fruchtfleisch mit dem Zitronensaft in eine Schüssel geben und mit einer Gabel zerdrücken. Übrigen Knoblauch schälen und dazupressen, alles salzen und pfeffern und mit Koriander bestreuen. Den Joghurt mit Salz und Pfeffer verrühren und abschmecken. Die Frikadellen mit Auberginenpüree und Joghurtsauce anrichten.

SATÉ-SPIESSE
MIT CHILISALAT

1 Knoblauchzehe | 2 EL Öl
2 EL helle Sojasauce | Pfeffer aus der Mühle
400 g Hähnchenbrustfilet
1 Salatgurke | 4 Radieschen
1 Stängel Zitronengras (aus dem Glas)
je 1 – 2 TL Sambal Oelek und 1 – 2 TL Sambal Manis
Salz | 1 EL Sesamsamen

Außerdem:
10 Holzspieße

30 Min.

Pro Portion 360 kcal | 32 g EW | 15 g F | 6 g KH

1. Knoblauch schälen, durchpressen und mit Öl, Sojasauce und etwas Pfeffer verrühren. Hähnchenfleisch abbrausen, trocken tupfen und in schmale Streifen schneiden. Dann auf Spieße stecken und in der Marinade wenden.

2. Die Gurke schälen, längs halbieren und entkernen. Die Hälften nochmals längs halbieren, dann quer in ca. 5 mm dicke Scheiben schneiden. Die Radieschen putzen, waschen und grob würfeln. Das Zitronengras in sehr feine Scheiben schneiden und in einer Schüssel mit Sambal Oelek und Manis verrühren. Gurke und Radieschen untermischen und den Salat mit Salz abschmecken.

3. Eine große beschichtete Pfanne erhitzen und die Spieße darin bei mittlerer Hitze ca. 8 Min. braten, dabei ab und zu wenden. Zuletzt die Sesamsamen darüberstreuen. Den Salat abschmecken und mit den Spießen anrichten.

POCHIERTES RINDERFILET

1 Stange Lauch (ca. 300 g)
150 – 200 g Knollensellerie
300 g Rinderfilet
Pfeffer aus der Mühle
etwas gemahlener Koriander
350 ml Rinderbrühe
75 g fettarmer Frischkäse (5 % Fett)
Salz
einige Chilifäden oder -brösel (nach Belieben)

30 Min.

Pro Portion 324 kcal | 45 g EW | 12 g F | 9 g KH

1. Den Lauch putzen und gründlich waschen, erst quer in ca. 10 cm lange Stücke, dann längs in feine Streifen schneiden. Den Sellerie schälen und ebenfalls in feine Streifen schneiden.

2. Das Rinderfilet in ca. 5 mm dicke Scheiben schneiden und jede Scheibe auf beiden Seiten mit Pfeffer und Koriander einreiben.

3. In einem breiten Topf die Brühe aufkochen und das Gemüse darin zugedeckt ca. 5 Min. garen. Die Hitze herunterschalten, das Fleisch auf das Gemüse legen und alles zugedeckt noch ca. 3 Min. ziehen lassen. Das Fleisch soll innen rosa bleiben.

4. Fleisch herausnehmen, zugedeckt warm halten. Frischkäse unter das Gemüse rühren und alles ca. 2 Min. stark kochen lassen, salzen und pfeffern. Das Fleisch mit dem Gemüse anrichten, nach Belieben mit Chili garnieren.

RINDERPFANNE
MIT SAUERKRAUT

1 rote Paprikaschote
300 g Rindfleisch zum Kurzbraten (z. B. Filet, Hüfte oder Roastbeef)
2 EL Öl
Salz | Pfeffer aus der Mühle
1 kleine Dose Sauerkraut (285 g Abtropfgewicht)
½ TL Kümmelsamen
2 EL saure Sahne (10 % Fett)
2 EL Schnittlauchröllchen

30 Min.

Pro Portion 356 kcal | 36 g EW | 20 g F | 5 g KH

1. Paprikaschote längs halbieren, putzen, entkernen, waschen und in feine Würfel schneiden. Rindfleisch in feine Streifen schneiden.

2. In einer Pfanne 1 EL Öl erhitzen und die Rinderfiletstreifen darin ½–1 Min. scharf anbraten. Mit Salz und Pfeffer würzen, dann aus der Pfanne nehmen.

3. Das übrige Öl in der Pfanne erhitzen und die Paprikawürfel darin anbraten. Das Sauerkraut dazugeben und alles mit Salz, Pfeffer und Kümmel würzen. Das Sauerkraut bei mittlerer Hitze ca. 10 Min. garen, dabei ab und zu umrühren.

4. Die saure Sahne mit dem Schnittlauch verrühren. Das Fleisch unter das Sauerkraut mischen und alles mit Salz abschmecken. Die saure Sahne unterrühren oder zuletzt auf die Rinderpfanne setzen.

HÄHNCHENTÜRME
MIT SAUERAMPFERCREME

- 1 Töpfchen Sauerampfer
- 2 kleine Zwiebeln
- 2 Hähnchenbrustfilets (à ca. 150 g)
- 2 Zucchini
- 100 ml Gemüsebrühe
- 1 EL Olivenöl
- Salz
- etwas Zitronenpfeffer
- 100 g Schmand

25 Min.

Pro Portion 340 kcal | 42 g EW | 18 g F | 6 g KH

1. Die Blätter vom Sauerampfer abzupfen, waschen, trocken schütteln und fein hacken. Die Zwiebeln schälen und fein würfeln. Die Hähnchenbrustfilets abbrausen, trocken tupfen und in breite Scheiben schneiden.

2. Die Zucchini putzen, waschen und in Würfel oder dicke Stifte schneiden. Die Brühe in einem Topf aufkochen und die Zucchini darin 3 – 4 Min. dünsten.

3. Währenddessen das Öl in einer beschichteten Pfanne erhitzen, die Hähnchenscheiben nebeneinander hineinlegen und scharf anbraten. Wenden, mit Salz und Zitronenpfeffer würzen und auf der zweiten Seite ebenfalls scharf anbraten. Dann bei schwacher Hitze noch ca. 2 Min. garen.

4. Die Hähnchenscheiben aus der Pfanne nehmen und warm halten. Die Zucchini in ein Sieb abgießen und abtropfen lassen, dabei die Brühe auffangen. Die Brühe in die Pfanne gießen und den Bratensatz unter Rühren lösen. Dann Zwiebelwürfel, Sauerampfer und Schmand hinzufügen und alles unter Rühren ca. 1 Min. köcheln lassen.

5. Die Hähnchenscheiben auf Tellern zu Türmchen aufschichten. Mit der Sauce beträufeln und mit den Zucchini anrichten.

PESTO-FISCH
MIT ZUCCHINI

2 Fischfilets (à ca. 160 g, z. B. Rotbarsch, Schellfisch oder Kabeljau)
2 EL Limettensaft
Salz | Pfeffer aus der Mühle
50 g Pesto (selbst gemacht oder aus dem Glas)
20 g gemahlene Mandeln | 2 große Zucchini
1 TL Öl | einige Basilikumblättchen zum Garnieren

Außerdem:
1 flache Auflaufform

30 Min.

Pro Portion 410 kcal | 37 g EW | 26 g F | 5 g KH

1. Den Backofen auf 200° vorheizen. Das Fischfilet abbrausen und trocken tupfen. Auf beiden Seiten mit Limettensaft beträufeln und mit Salz und Pfeffer würzen.

2. Die Fischfilets in die Form setzen. Das Pesto mit den Mandeln verrühren und auf die Fischfilets streichen. Im Ofen (Mitte) je nach Dicke 10 – 15 Min. gratinieren.

3. Inzwischen die Zucchini putzen, waschen und schräg in dünne Scheiben schneiden. Einige Tropfen Öl in einer großen beschichteten Pfanne erhitzen und die Hälfte der Zucchini darin von beiden Seiten goldbraun braten. Salzen und pfeffern, aus der Pfanne nehmen. Dann die restlichen Zucchini im übrigen Öl braten. Das Basilikum waschen und trocken schütteln. Die Zucchinischeiben mit dem Pesto-Fisch auf Tellern verteilen, mit Basilikum garnieren.

SALTIMBOCCA
VOM LACHSFILET

300 g TK-Blattspinat (aufgetaut)
50 g Gorgonzola
250 g Lachsfilet
Salz | Pfeffer aus der Mühle
4 – 5 Stiele Salbei
1 TL Olivenöl

30 Min.

Pro Portion 390 kcal | 34 g EW | 27 g F | 2 g KH

1. Den Spinat mit dem Gorgonzola in einem Topf langsam erhitzen und einmal aufkochen. Das Lachsfilet abbrausen und trocken tupfen. Längs in ca. 5 mm dicke Streifen schneiden und mit Salz und Pfeffer würzen.

2. Den Salbei waschen, trocken schütteln und die Blätter abzupfen. Jeweils 2 – 3 Salbeiblätter auf die Hälfte der Lachsstreifen legen, jeweils einen zweiten Lachsstreifen daraufsetzen und leicht andrücken. Die Streifen halten durch das Braten zusammen und müssen nicht fixiert werden.

3. Das Öl in einer beschichteten Pfanne leicht erhitzen und die Lachspäckchen darin von jeder Seite bei schwacher bis mittlerer Hitze ca. 2 Min. braten. Dabei die übrigen Salbeiblätter mit in die Pfanne geben. Den Spinat abschmecken und mit den Lachspäckchen und dem gebratenen Salbei anrichten.

ROTBARSCH
MIT PFANNENBROKKOLI

1 Brokkoli (ca. 350 g)
300 g Rotbarschfilet
1 EL Zitronensaft
Salz | Pfeffer aus der Mühle
1 rote Zwiebel
2 EL Olivenöl
100 ml Fischfond (oder Gemüsebrühe)
rosenscharfes Paprikapulver

30 Min.

Pro Portion 300 kcal | 33 g EW | 17 g F | 3 g KH

1. Den Brokkoli putzen, waschen und nach Belieben in Röschen teilen oder grob würfeln. Das Fischfilet abbrausen, trocken tupfen und in Stücke schneiden. Mit Zitronensaft beträufeln und mit Salz und Pfeffer würzen. Die Zwiebel schälen und in dünne Spalten schneiden.

2. Das Öl in zwei großen beschichteten Pfannen leicht erhitzen und den Brokkoli darin ca. 6 Min. braten, dabei ab und zu wenden. Mit Salz und Pfeffer würzen.

3. Währenddessen den Fond oder die Brühe in einem Topf aufkochen, das Fischfilet hineinlegen und die Zwiebelspalten dazugeben. Den Fisch zugedeckt in ca. 5 Min. gar dünsten. Fisch und Zwiebelspalten herausheben, mit dem Brokkoli auf Tellern anrichten und alles mit etwas Paprikapulver bestäuben.

GRATINIERTER KABELJAU

400 g Kabeljaufilet
Salz | Pfeffer aus der Mühle
2 kleine Kohlrabi
50 g Kapernäpfel (aus dem Glas)
3 Eigelb
100 ml trockener Weißwein (oder Fischfond)

Außerdem:
1 Auflaufform
Alufolie

35 Min. + 10 Min. Gratinieren

Pro Portion 406 kcal | 51 g EW | 11 g F | 10 g KH

1. Den Backofen auf 200° vorheizen. Das Kabeljaufilet abbrausen, trocken tupfen und in Stücke schneiden. Die Filets auf beiden Seiten salzen und pfeffern.

2. Die Kohlrabi schälen, halbieren und in sehr dünne Scheiben schneiden. Die Kohlrabischeiben überlappend in die Form legen. Die Fischstücke und die Kapernäpfel darauf verteilen, mit Alufolie abdecken und im Ofen (Mitte) ca. 10 Min. garen.

3. Inzwischen die Eigelbe mit Wein oder Fond in einer Schüssel verrühren, salzen und pfeffern. Über dem warmen Wasserbad zu einer dickschaumigen Creme aufschlagen. Vom Wasserbad nehmen.

4. Den Fisch aus dem Ofen nehmen, die Sauce darüberträufeln und alles (ohne Alufolie) im Ofen noch ca. 10 Min. gratinieren.

RIESENGARNELEN
MIT FENCHELGEMÜSE

300 g rohe, ungeschälte Riesengarnelen (12 – 14 Stück)
1 kleine Fenchelknolle
2 Knoblauchzehen
4 in Öl eingelegte, getrocknete Tomaten
3 EL Olivenöl
Salz | Pfeffer aus der Mühle
etwas abgeriebene Schale von 1 Bio-Orange
2 Scheiben Eiweiß-Abendbrot (à ca. 35 g)

30 Min.

Pro Portion 360 kcal | 30 g EW | 20 g F | 10 g KH

1. Die Riesengarnelen abbrausen und trocken tupfen. Längs mit einem spitzen Messer aufschneiden, die Schale entfernen und den dunklen Darm herausziehen.

2. Den Fenchel putzen, waschen und in sehr feine Streifen schneiden. Die Knoblauchzehen schälen und fein hacken. Die Tomaten abtropfen lassen und klein schneiden.

3. Das Öl in einer beschichteten Pfanne erhitzen und den Knoblauch darin leicht anbraten. Die Garnelen dazugeben und von jeder Seite ca. 30 Sek. anbraten. Die Tomaten und den Fenchel hinzufügen, alles mit Salz und Pfeffer würzen und bei schwacher Hitze noch ca. 5 Min. braten.

4. Garnelen und Fenchel abschmecken, auf Teller verteilen und die Orangenschale darüberstreuen. Die Brotscheiben dazu genießen.

LACHS-CEVICHE
MIT SALSA

200 g Lachsfilet (Sushi-Qualität)
1 Bio-Zitrone
2 EL Olivenöl
1 Schalotte
4 Tomaten
1 Stange Staudensellerie
1 grüne Chilischote
1 EL gehackte Petersilie
1 EL Weinessig
Salz | Pfeffer aus der Mühle

20 Min. + 1 Std. Marinieren

Pro Portion 320 kcal | 22 g EW | 23 g F | 4 g KH

1. Das Lachsfilet abbrausen, trocken tupfen und mit einem scharfen Messer schräg in sehr dünne Scheiben schneiden. Diese auf zwei Tellern auslegen. Zitrone heiß waschen und abtrocknen, etwas Schale mit einem Juliennereißer abziehen. Die Zitrone halbieren, den Saft auspressen und mit dem Öl verrühren. Die Lachsscheiben damit bestreichen und zugedeckt ca. 1 Std. kühl stellen.

2. Die Schalotte schälen und in feine Streifen schneiden. Die Tomaten waschen und grob würfeln, dabei die Stielansätze entfernen. Den Sellerie putzen, waschen und in Scheiben schneiden. Die Chili längs halbieren, entkernen, waschen und fein hacken. Schalotte, Tomaten, Sellerie, Chili und Petersilie mit dem Essig mischen und die Salsa mit Salz und Pfeffer abschmecken. Zuletzt die Salsa über das marinierte Lachsfilet geben und alles mit der Zitronenschale bestreuen.

FISCHPFANNE
MIT RHABARBER

3 zarte Stangen Rhabarber (siehe Tipp S. 163)
100 ml Fischfond (oder Gemüsebrühe)
1 Stück Ingwer (ca. 15 g)
2 Bund Frühlingszwiebeln
400 g gemischtes Fischfilet (z. B. Seelachs und Waller)
2 EL Olivenöl
Salz | Pfeffer aus der Mühle

20 Min.

Pro Portion 320 kcal | 44 g EW | 12 g F | 7 g KH

1. Rhabarber putzen und waschen, die Haut abziehen und die Stangen schräg in dünne Scheiben schneiden. Den Fond in einem Topf zum Kochen bringen, den Rhabarber darin einmal aufkochen. Vom Herd nehmen.

2. Den Ingwer schälen und fein hacken. Die Frühlingszwiebeln putzen, waschen und schräg in Ringe schneiden. Das Fischfilet abbrausen, trocken tupfen und in mundgerechte Stücke schneiden. Das Öl in einer Pfanne erhitzen und Ingwer und Frühlingszwiebeln darin unter Rühren 2–3 Min. anbraten. Den Fisch dazugeben, alles mit Salz und Pfeffer würzen und noch ca. 3 Min. garen, zwischendurch den Fisch vorsichtig wenden.

3. Den Rhabarber mit dem Fond in die Pfanne geben und alles noch 2–3 Min. garen. Die Fischpfanne nochmals abschmecken und sofort servieren.

PASTETEN
MIT LACHSFORELLE

250 g Lachsforellenfilet | 1 EL Zitronensaft
2 Frühlingszwiebeln | 2 Eier | 100 ml Milch
Salz | Pfeffer aus der Mühle
1 Bund glatte Petersilie | 1 Handvoll Rucola
150 g fettarmer Joghurt (1,5 % Fett)
Butter für die Förmchen

Außerdem:
4 ofenfeste Förmchen (à ca. 175 ml Inhalt)
1 große Auflaufform

30 Min. + 25 Min. Garen

Pro Portion 420 kcal | 38 g EW | 26 g F | 9 g KH

1. Den Backofen auf 200° vorheizen. Den Fisch abbrausen, trocken tupfen, klein würfeln und mit Zitronensaft beträufeln. Frühlingszwiebeln putzen, waschen, fein würfeln und mit dem Fisch mischen. Förmchen dünn mit Butter fetten, die Fischmischung hineingeben.

2. Die Eier mit Milch, Salz und Pfeffer verquirlen und in die Förmchen gießen. Die Förmchen in die Auflaufform stellen und heißes Wasser angießen, bis die Förmchen zu zwei Dritteln im Wasser stehen. Die Auflaufform in den Ofen (Mitte) stellen und die Lachsforellenpasteten ca. 25 Min. stocken lassen.

3. Inzwischen Petersilie und Rucola waschen, trocken schütteln und die Blättchen abzupfen, grobe Stiele entfernen. Blättchen und Joghurt mit dem Stabmixer pürieren und mit Salz und Pfeffer würzen. Die Pasteten mit der grünen Sauce anrichten.

FROZEN YOGURT
MIT ZITRONE

250 g Naturjoghurt
½ Bio-Zitrone
Stevia-Süßungsmittel (siehe Tipp S. 162)
1 Eiweiß

15 Min. + 2 Std. Abtropfen + 3 – 4 Std. Gefrieren (ohne Eismaschine)

Pro Portion 90 kcal | 7 g EW | 5 g F | 5 g KH

1. Den Joghurt in einem feinen Sieb ca. 2 Std. gut abtropfen lassen. Die Zitrone heiß waschen und abtrocknen, die Schale fein abreiben und den Saft auspressen.

2. Den Joghurt mit Zitronensaft und -schale verrühren und vorsichtig mit Stevia (Dosierung nach Packungsanweisung) süßen. Das Eiweiß mit den Schneebesen des Handrührgeräts zu steifem Schnee schlagen und unterheben.

3. Den Joghurt in einer Eismaschine gefrieren lassen. Oder die Masse in eine Metallschüssel geben, zugedeckt in das Gefrierfach stellen und 3 – 4 Std. gefrieren lassen. Dabei zwischendurch mehrmals gut durchrühren, damit keine großen Eiskristalle entstehen.

tipp Frozen Yogurt, gefrorener Joghurt, ist in den USA seit Jahren beliebt und mittlerweile auch bei uns der absolute Sommertrend. Sie können den kühlen Genuss mit oder ohne Eismaschine zubereiten, und das in immer anderen Geschmacksrichtungen. Da Sie abends auf Früchte und sonstige Kohlenhydrate verzichten sollen, wird mit Stevia (Dosierung nach Packungsanweisung) gesüßt und mit Orange, Zitrone oder Limette aromatisiert. Auch ein wenig löslicher Kaffee, etwas starker Grüntee, ungesüßtes Kakaopulver, allerlei Nüsse sowie Vanille oder Zimt sorgen für aufregende Geschmacksnoten.

VANILLEGELEE
MIT KAFFEESCHAUM

3 Blatt Gelatine
¼ l Milch
¼ TL gemahlene Vanille
Stevia-Süßungsmittel (siehe Tipp S. 162)
1 EL lösliches Kaffeepulver | 1 Ei

15 Min. + 3 – 4 Std. Gelieren

Pro Portion 115 kcal | 10 g EW | 6 g F | 5 g KH

1. Gelatine in kaltem Wasser ca. 5 Min. einweichen. Die Hälfte der Milch erwärmen, die Gelatine ausdrücken und darin auflösen. Vom Herd nehmen, mit übriger Milch und Vanille verrühren und vorsichtig mit Stevia (Dosierung nach Packungsanweisung) süßen. Die Masse jeweils bis zur Hälfte in zwei hohe Gläser füllen und 3 – 4 Std. gelieren lassen.

2. Zum Servieren den Kaffee in 1 EL heißem Wasser auflösen. Mit dem Ei und etwas Stevia (Dosierung nach Packungsanweisung) verrühren und über dem warmen Wasserbad cremig aufschlagen. Den Kaffeeschaum auf das Vanillegelee geben.

tipp Für Holundergelee 2 – 3 voll aufgeblühte Holunderblütendolden gründlich ausschütteln, damit eventuell darin sitzende Insekten entfernt werden. Die Dolden ca. 30 Min. in der lauwarmen Milch ziehen lassen. Anschließend die Milch abseihen und mit der Gelatine wie beschrieben festigen.

FRÜCHTETEE
IN WÜRFELFORM

6 Blatt Gelatine
½ l starker Früchtetee (z. B. mit Himbeer- oder Erdbeeraroma)
Stevia-Süßungsmittel (siehe Tipp S. 162)
2 EL flüssige oder leicht geschlagene Sahne

10 Min. + 2 – 3 Std. Gelieren

Pro Portion 60 kcal | 5 g EW | 4 g F | 0,5 g KH

1. Die Gelatine in kaltem Wasser ca. 5 Min. einweichen. Den Tee in einem Topf erwärmen, die Gelatine ausdrücken und darin auflösen. Vom Herd nehmen und mit etwas Stevia (Dosierung nach Packungsanweisung) vorsichtig süßen.

2. Den Tee in eine tiefe, eckige Schale gießen und im Kühlschrank 2 – 3 Std. gelieren lassen.

3. Zum Servieren das Gelee aus der Form stürzen, in Würfel schneiden, auf Teller setzen und mit der Sahne anrichten.

tipp Es gibt eine nahezu unendliche Vielfalt an Früchteteesorten. Für feine Desserts wie hier am besten losen Früchtetee kaufen – darin steckt deutlich mehr Aroma als in den praktischen Beuteln. Bei der Sorte entscheidet allein Ihr Geschmack. Probieren Sie heimische Früchte wie Himbeeren oder Waldbeeren oder ein anderes Mal exotische Fruchtkombinationen mit Kokos.

ARABISCHER MINZJOGHURT

300 g Naturjoghurt
3 Tropfen Bittermandelöl
Stevia-Süßungsmittel (siehe Info S. 162)
2 Stiele Minze
1 EL Pistazienkerne
1 EL Walnusskerne

15 Min.

Pro Portion 160 kcal | 8 g EW | 10 g F | 5 g KH

1. Den Joghurt mit dem Bittermandelöl und etwas Stevia (Dosierung nach Packungsanweisung) verrühren.

2. Die Minze waschen und trocken schütteln, die Blättchen abzupfen und fein hacken. Die Minze unter den Joghurt rühren und diesen in zwei Schälchen füllen.

3. Die Pistazien und die Walnüsse grob hacken und zuletzt über den Minzjoghurt streuen.

tipp Nach diesem Rezept können Sie auch andere abends erlaubte Joghurtdesserts zubereiten. Wer die erfrischende Minze nicht mag, verfeinert den Joghurt mit Zitronenmelisse. Auch etwas abgeriebene Bio-Zitronenschale passt gut. Und statt gleichzeitig mit Pistazien und Walnüssen für Biss zu sorgen, können Sie auch nur eine Nusssorte oder zur Abwechslung Pinienkerne verwenden.

Vanillegelee mit Kaffeeschaum

Früchtetee in Würfelform

Arabischer Minzjoghurt

ZIMTQUARK
MIT GERÖSTETEN MANDELN

250 g Magerquark
2 – 3 EL Milch
1 TL Zimtpulver
Stevia-Süßungsmittel (siehe Tipp)
25 g Mandelblättchen

5 Min.

Pro Portion 170 kcal | 19 g EW | 7 g F | 5 g KH

1. Den Quark mit der Milch und dem Zimtpulver glatt rühren. Mit etwas Stevia (Dosierung nach Packungsanweisung) vorsichtig süßen. Die Quarkcreme auf Schälchen verteilen.

2. Mandelblättchen in einer kleinen beschichteten Pfanne ohne Fett goldbraun rösten und über den Quark streuen.

tipp Stevia pur ist etwa 300-mal süßer als dieselbe Menge Zucker. Daher ist Stevia im Handel meist mit neutralen Streckmitteln gemischt. Es gibt viele verschiedene Sorten – bitte stets nach Packungsanweisung vorsichtig dosieren.

RHABARBERKOMPOTT MIT QUARK

400 g Rhabarber
100 ml trockener Weißwein (oder Wasser)
Stevia-Süßungsmittel (siehe Tipp S. 162)
250 g Magerquark
¼ TL gemahlene Vanille
etwas Mineralwasser (mit Kohlensäure) nach Bedarf

20 Min. + 2 – 3 Std. Kühlen

Pro Portion 119 kcal | 18 g EW | 0 g F | 9 g KH

1. Den Rhabarber putzen und waschen, die Haut abziehen und die Stangen in 3 – 4 cm lange Stücke schneiden. Den Rhabarber in einen Topf geben und den Wein angießen. Zugedeckt aufkochen und ca. 5 Min. leicht köcheln lassen, dann mit Stevia (Dosierung nach Packungsanweisung) vorsichtig süßen. 2 – 3 Std. abkühlen lassen. Zum Servieren das Kompott leicht durchrühren.

2. Den Quark mit Vanille und bei Bedarf mit etwas Mineralwasser verrühren und nach Belieben vorsichtig mit Stevia süßen. Das Rhabarberkompott mit dem Quark servieren.

tipp Was Sie vielleicht nicht wissen: Rhabarber ist kein Obst, sondern Gemüse und deshalb bei Schlank im Schlaf auch abends erlaubt.

WAS DARF ICH ESSEN?
AUSWAHLTABELLE

Morgens: Kohlenhydrate – ja! Tierisches Eiweiß – nein!

pro 100 g Nahrungsmittel	KH	E	F	Energie	Portionsgröße
Brot und Backwaren					
Croissants	30 g	7 g	30 g	420 kcal	1 Stück = 50 g
Knäckebrot	66 g	10 g	2 g	318 kcal	1 Scheibe = 10 g
Mischbrot/Graubrot	48 g	6 g	1 g	226 kcal	1 Scheibe = 50 g
Rosinenbrötchen	48 g	7 g	8 g	297 kcal	1 Stück = 45 g
Vollkornbrot	41 g	8 g	1 g	204 kcal	1 Scheibe = 50 g
Vollkorntoastbrot	40 g	10 g	3 g	233 kcal	1 Scheibe =30 g
weiße Brötchen	56 g	8 g	2 g	272 kcal	1 Stück = 50 g
Eiweiß-Abendbrot	7,2 g	26 g	11 g	255 kcal	1 Scheibe = 35 g
Fette und Öle					
Butter	1 g	1 g	83 g	754 kcal	1 TL = 5 g
Halbfettbutter	+	5 g	41 g	385 kcal	1 TL = 5 g
Halbfettmargarine	+	2 g	40 g	368 kcal	1 TL = 5 g
Margarine	+	+	80 g	722 kcal	1 TL = 5 g
Süße und pikante Brotaufstriche					
(Erbeer-)Konfitüre	63 g	+	0 g	256 kcal	1 TL = 10 g
(Johannisbeer-)Gelee	63 g	+	0 g	256 kcal	1 TL = 10 g
Nuss-Nugat-Creme	60 g	4 g	30 g	522 kcal	1 TL = 10 g
Rübenkraut	70 g	1 g	0 g	273 kcal	1 TL = 10 g
Sojaaufstrich	6 g	8 g	20 g	237 kcal	30 g
Getreideprodukte					
Cornflakes	80 g	7 g	1 g	356 kcal	10 EL à 4 g = 40 g
Früchtemüsli	60 g	10 g	6 g	340 kcal	5 EL à 10 g = 50 g
Haferflocken	58 g	12 g	8 g	354 kcal	5 EL à 10 g = 50 g
Haferkleie	48 g	15 g	9 g	350 kcal	5 EL à 10 g = 50 g
Schokomüsli	60 g	10 g	12 g	390 kcal	5 EL à 10 g = 50 g
Weizenkeime	31 g	29 g	9 g	320 kcal	5 EL à 10 g = 50 g
Früchte					
Apfel	11 g	+	+	54 kcal	1 Stück = 150 g
Banane	21 g	1 g	+	94 kcal	1 Stück = 125 g

pro 100 g Nahrungsmittel	KH	E	F	Energie	Portionsgröße
Birne	12 g	1 g	+	55 kcal	1 Stück = 125 g
Erdbeere	6 g	1 g	+	32 kcal	125 g
Kiwi	10 g	1 g	+	50 kcal	1 gr. Stück = 100 g
Orange	8 g	1 g	+	42 kcal	1 Stück = 125 g
Pfirsich	10 g	1 g	+	43 kcal	1 Stück = 125 g

Mittags: Kohlenhydrate – ja! Eiweiß – ja!

pro 100 g Nahrungsmittel	KH	E	F	Energie	Portionsgröße
Getreideprodukte					
Eierteigwaren	70 g	13 g	3 g	347 kcal	100 g
Hartweizennudeln	75 g	13 g	1 g	362 kcal	100 g
Naturreis	73 g	7 g	2 g	343 kcal	10 EL à 10 g = 100 g
Reis, poliert	78 g	7 g	1 g	344 kcal	10 EL à 10 g = 100 g
Vollkornnudeln	64 g	15 g	3 g	343 kcal	100 g
Kartoffelprodukte					
Kartoffeln, gekocht	15 g	2 g	0 g	70 kcal	1 mittelgr. Stück = 70 g
Kartoffelpüree	13 g	2 g	3 g	92 kcal	200 g
Pommes frites (Backofen)	28 g	3 g	6 g	174 kcal	150 g
Hülsenfrüchte, getrocknet					
Bohnen	40 g	22 g	2 g	262 kcal	100 g (roh)
Erbsen	41 g	23 g	1 g	69 kcal	100 g (roh)
Linsen	52 g	24 g	1 g	315 kcal	100 g (roh)
Gemüse/Rohkost					
Blumenkohl/Brokkoli	2 g	2,5 g	+	20 kcal	200 g
Champignons	1 g	4 g	+	22 kcal	200 g
Eisbergsalat	4 g	3 g	+	40 kcal	50 g
grüne Bohnen	5 g	2 g	+	32 kcal	200 g
Grünkohl	3 g	4 g	1 g	37 kcal	200 g
Knollensellerie	2 g	2 g	+	18 kcal	200 g
Kohlrabi	4 g	2 g	+	24 kcal	1 mittelgr. Stück = 200 g

Alle Nährwerte sind gerundet. *+: Spuren des Nährstoffs vorhanden.*
Quelle: Der Große Klever: Kalorien & Nährwerte 2010/2011. GU, 2009.

pro 100 g Nahrungsmittel	KH	E	F	Energie	Portionsgröße
Möhre	3 g	1 g	+	18 kcal	1 kl. Stück = 50 g
Paprikaschote	3 g	1 g	+	19 kcal	1 Stück = 150 g
Rote Bete	8 g	2 g	+	41 kcal	1 mittelgr. Stück = 150 g
Rotkohl	3 g	2 g	+	21 kcal	200 g
Salatgurke	2 g	1 g	+	12 kcal	½ Stück = 200 g
Spargel	1 g	2 g	+	13 kcal	200 g
Spinat	1 g	2 g	+	14 kcal	200 g
Staudensellerie	2 g	1 g	+	15 kcal	200 g
Tomate	3 g	1 g	+	17 kcal	1 gr. Stück = 100 g
Zucchini	2 g	2 g	+	19 kcal	1 mittelgr. Stück = 125 g
Milchprodukte/Käse/Tofu					
wie abends					
Fleisch/Fleischwaren					
wie abends					
Fisch/Ei					
wie abends					

Abends: Tierisches Eiweiß – ja! Kohlenhydrate – nein!

pro 100 g Nahrungsmittel	KH	E	F	Energie	Portionsgröße
Fleisch / Geflügel					
ganzes (Brat-)Hähnchen	+	20 g	10 g	166 kcal	125 g
Ente	+	18 g	17 g	227 kcal	125 g
Hackfleisch (halb/halb)	+	20 g	20 g	260 kcal	125 g
Hähnchenbrustfilet	+	23 g	1 g	100 kcal	125 g
Lammkotelett	+	15 g	32 g	348 kcal	125 g
Putenbrust	+	24 g	1 g	105 kcal	125 g
Rinderfilet	+	21 g	4 g	121 kcal	125 g
Rinderschulter	+	20 g	5 g	129 kcal	125 g
Schweinefilet	+	21 g	2 g	104 kcal	125 g
Schweineschnitzel	+	22 g	2 g	106 kcal	125 g
Fisch und Ei					
Forelle	+	20 g	3 g	102 kcal	1 mittelgr. Stück = 180 g
Kabeljau (Dorsch)	+	17 g	0,6 g	75 kcal	150 g
Lachs	+	20 g	14 g	202 kcal	150 g

pro 100 g Nahrungsmittel	KH	E	F	Energie	Portionsgröße
Lachs, geräuchert	0 g	28 g	19 g	288 kcal	50 g
Makrele, geräuchert	+	21 g	16 g	222 kcal	1 mittelgr. Stück = 250 g
Pangasius	+	11 g	2 g	62 kcal	150 g
Rotbarsch	+	18 g	4 g	105 kcal	150 g
Seelachsfilet	+	18 g	1 g	80 kcal	150 g
Hühnerei	1 g	13 g	12 g	160 kcal	1 Stück = ca. 60 g
Milchprodukte					
Crème fraîche (40 % Fett)	3 g	2 g	40 g	378 kcal	1 Becher = ca. 100 g
fettarmer Joghurt (1,5 % Fett)	5 g	3 g	1,5 g	47 kcal	1 kl. Becher = ca. 150 g
Joghurt (3,5% Fett)	4 g	3 g	3,5 g	61 kcal	1 kl. Becher = ca. 150 g
Magerquark	3,2 g	13 g	+	72 kcal	125 g
saure Sahne	4 g	3 g	10 g	117 kcal	1 kl. Becher = ca. 150 g
Käse/Tofu					
Bergkäse (45 % F. i. Tr.)	+ g	27 g	32 g	396 kcal	30 g
Camembert (30 % F. i. Tr.)	+	23 g	13 g	206 kcal	30 g
Camembert (60 % F. i. Tr.)	+	17 g	33 g	366 kcal	30 g
Frischkäse (20 % F. i. Tr.)	3 g	13 g	8 g	134 kcal	1 EL = 30 g
Gouda (48 % F. i. Tr.)	+	23 g	28 g	343 kcal	1 Scheibe = 30 g
Harzer/Korbkäse	+	30 g	1 g	126 kcal	30 g
Mozzarella (45 % F. i. Tr.)	+	19 g	20 g	255 kcal	30 g
Schafskäse (45 % F. i. Tr.)	+	17 g	19 g	236 kcal	30 g
Tofu	1 g	8 g	5 g	77 kcal	100 g
Gemüse/Rohkost					
wie mittags, jedoch keine Möhren, Roten Beten, Kürbis					
Eiweiß-Abendbrot	7,2 g	26 g	11 g	255 kcal	1 Scheibe = 35 g

Alle Nährwerte sind gerundet. *+: Spuren des Nährstoffs vorhanden.*
Quelle: Der Große Klever: Kalorien & Nährwerte 2010/2011. GU, 2009.

WAS DARF ICH TRINKEN?
AUSWAHLTABELLE

Portionsgröße
1 Glas = 200 ml

Energieliefernde Getränke für morgens:

pro 100 g Nahrungsmittel	KH	E	F	Energie
Ananassaft	13 g	+	+	59 kcal
Apfelsaft	12 g	+	+	57 kcal
Grapefruitsaft	10 g	1 g	+	47 kcal
Orangensaft	9 g	1 g	+	44 kcal
Saftschorle (Apfel)	5 g	+	+	25 kcal
Sojadrink	6 g	4 g	2 g	52 kcal

Energieliefernde Getränke für abends*:

pro 100 g Nahrungsmittel	KH	E	F	Energie
Colagetränk, light	+	0 g	0 g	<1 kcal
Limonade, light	0 g	0 g	0 g	3 kcal
Kuhmilch (1,5 % Fett)	5 g	3 g	1,5 g	47 kcal
Kuhmilch (3,5 % Fett)	5 g	3,3 g	3,5 g	64 kcal
Kefir (1,5 % Fett)	4 g	3 g	2 g	50 kcal
Molke, süß	5 g	1 g	+	25 kcal
Buttermilch	4 g	4 g	0,5 g	35 kcal

Energieliefernde Getränke für mittags*

pro 100 g Nahrungsmittel	KH	E	F	Energie
Buttermilch	4 g	4 g	0,5 g	35 kcal
Colagetränk	11 g	0 g	0 g	57 kcal
Diät-Fruchtsaftgetränk	4 g	1 g	+	23 kcal
Gemüsesaft	3 g	2 g	+	22 kcal
Kefir (1,5 % Fett)	4 g	3 g	2 g	50 kcal
Kuhmilch (1,5 % Fett)	5 g	3 g	1,5 g	47 kcal
Kuhmilch (3,5 % Fett)	5 g	3,3 g	3,5 g	64 kcal
Limonade	12 g	0 g	0 g	49 kcal
Molke, süß	5 g	1 g	+	25 kcal
Orangensaft	9 g	1 g	+	44 kcal
Saftschorle (Apfel)	5 g	+	+	25 kcal
Tomatensaft	2 g	1 g	+	15 kcal

tipp DAS GEHT IMMER: KALORIENFREIE BZW. NAHEZU KALORIENFREIE GETRÄNKE

Perfekte Durstlöscher sind Mineral- und Leitungswasser – beide können Sie nach Geschmack mit Ingwer- oder Zitronenscheiben aromatisieren. Bestens geeignet ist auch Kräutertee, schwarzer oder grüner Tee. Sie trinken gern Espresso oder Kaffee? Kein Problem! Natürlich ohne Zucker, aber nach Wunsch mit 2 TL Milch oder 1 TL Kondensmilch.

* *Für Genießer, die mittags oder abends auf ihren Wein oder ein Bier nicht verzichten möchten, sind darüber hinaus 0,2 Liter Wein oder 0,3 Liter Bier (mit oder ohne Alkohol) täglich erlaubt.*

SACHREGISTER

REZEPTREGISTER

Hier finden Sie die Rezepte in alphabetischer Reihenfolge, gekennzeichnet mit
F = Frühstück, M = Mittag, A = Abend.

T

U/V

W

Z

HINWEIS ZU DEN REZEPTEN

- für 1 Person
- für 2 Personen
- ergibt 1 Einmachglas mit der angegebenen Füllmenge
- ergibt 2 Einmachgläser mit der angegebenen Füllmenge
- Zubereitungszeit

BÜCHER UND ADRESSEN

Weitere Bücher zum Thema »Schlank im Schlaf« aus dem GRÄFE UND UNZER VERLAG

- **Schlank im Schlaf – Das Basisbuch**
  Pape, Dr. D., Schwarz, Dr. R., Trunz-Carlisi, E., Gillessen, H., Cavelius, A, Ilies, A.
- **Schlank im Schlaf für Berufstätige**
  Pape, Dr. D., Schwarz, Dr. R., Trunz-Carlisi, E., Gillessen, H.
- **Schlank im Schlaf für Frauen**
  Pape, Dr. D., Cavelius, A., Ilies, A.
- **Schlank im Schlaf vegetarisch**
  Pape, Dr. D., Cavelius, A., Ilies, A.
- **Schlank im Schlaf – 20-Minuten-Küche**
  Pape, Dr. D. et al.
- **Schlank im Schlaf – Der 4-Wochen-Power-Plan**
  Pape, Dr. D., Schwarz, Dr. R., Trunz-Carlisi, E., Gillessen, H.
- **Schlank im Schlaf: der Fitness-Turbo (E-Book)**
  Gillessen, H., Trunz-Carlisi, E., Schwarz, Dr. R., Pape, Dr. med. D.

Weiterführende Bücher aus dem Gräfe und Unzer Verlag

- **Die 4 Kräfte der Selbstheilung**
  Mosetter, Dr. K., Pape, Dr. D., Cavelius, A.
- **Zucker – Der heimliche Killer**
  Mosetter, Dr. K., Cavelius, A. et al.
- **Das Turbo-Stoffwechsel-Prinzip**
  Froböse, Prof. Dr. I.

KONTAKT

- **InsuLean GmbH & Co. KG**
  Ernährungsmedizin und Adipositas-Konzept
  Dr. med. Detlef Pape
  Zweigertstraße 37–41
  45130 Essen
  Tel. 02 01/7 49 55 77
  www.insulean.de

ADRESSEN

- **www.schlank-im-schlaf-shop.de**
  Schlank-im-Schlaf-Diätprodukte wie Abend-Eiweißbrot, Eiweißriegel, Eiweiß-Shakes und mehr zum Bestellen
- **www.eiweiss-abendbrot.de**
  Adressen von Bäckereien, die Eiweißbrot backen

DER SCHLANK-IM-SCHLAF-COACH

Lassen Sie sich von Dr. med. Pape persönlich begleiten!

Mit dem Schlank-im-Schlaf-Coach steht Ihnen der Erfolgsautor online mit Rat und Unterstützung zur Seite.
www.schlank-im-schlaf-coach.de

Das bietet der Online-Coach:

- Dr. Pape erklärt in kurzen **Videos** alle wichtigen Aspekte des Schlank-im-Schlaf-Prinzips und unterstützt Sie im Verlauf Ihrer Mitgliedschaft mit vielen motivierenden Tipps.
- Jeden Tag schlägt er leckere und aktuelle **Rezepte** für morgens, mittags und abends vor – natürlich nach dem Prinzip der Insulin-Trennkost.
- Zum Nachlesen steht Ihnen Dr. Papes umfangreiches **Magazin aus Tipps und Informationen** zur Verfügung.
- Individuelle Bilanzen und die grafische **Gewichtskurve** zeigen Ihnen jederzeit, wo Sie stehen.

Einfach unter www.schlank-im-schlaf-coach.de anmelden und den Gutscheincode **SISKOCH14** eingeben.

LEICHTER DURCHS LEBEN
SCHLANK IM SCHLAF
auf GU BALANCE
www.gu-balance.de
JETZT 10 TAGE KOSTENLOS TESTEN
www.gu-balance.de
Mit Schlank im Schlaf-Programm!
NEUE LECKER-LEICHTE REZEPTE
DIE BESTEN FITNESSVIDEOS
ENTSPANNUNGSTIPPS FÜR DIE SEELE
FÜR:

IMPRESSUM

Projektleitung: Kathrin Ullerich
Lektorat: Claudia Lenz
Korrektorat: Jutta Friedrich
Innen- und Umschlaggestaltung: independent Medien-Design, Horst Moser, München
Herstellung: Susanne Mühldorfer
Satz und Repro: Longo AG, Bozen
Druck und Bindung: Printer Trento s.r.l., Trento
Syndication: www.jalag-syndication.de
ISBN 978-3-8338-4254-2
1. Auflage 2014

Die Fotografinnen

Ulrike Schmid und **Sabine Mader** arbeiten seit Jahren als eingespieltes Team in ihrem Fotostudio **Fotos mit Geschmack.** Inspiration für Ihre Fotos finden sie vor allem auf Reisen, wo sie auch immer auf der Suche nach ausgefallenen Requisiten sind. Um die Rezepte in diesem Buch stimmungsvoll in Szene zu setzen, wurden sie von Petra Martin und Felix Schmid sowie von Franziska Schmid-Burgk und Annika Schüler unterstützt.

Bildnachweis

Fotos:
Titelfoto: Fotos mit Geschmack.
S. 17: Getty Images, S. 28: Plainpicture; S. 29: Johannes Rodach (links), Picture Press (rechts); S. 31: Corbis; Klappe hinten außen: privat; alle anderen Fotos: Fotos mit Geschmack
Illustrationen:
Markus Voll, Karl-Heinz Döring

Titelrezept

Spargelteller all'italiana (S. 128)

Dank an das Redaktionsteam

Für die fachliche Mitarbeit an diesem Buch ein herzliches Dankeschön an **Anna Cavelius**, die als Co-Autorin alles Wissenswerte zu Schlank im Schlaf textlich aufbereitet hat. Ein weiterer Dank gilt **Angelika Ilies**, die für dieses Buch neue, unkomplizierte und leckere Insulin-Trennkost-Rezepte entwickelte. Danke auch dem langjährigen Expertenteam, bestehend aus Dr. Rudolf Schwarz, Elmar Trunz-Carlisi und Helmut Gillessen.

Umwelthinweis:
Dieses Buch ist auf PEFC-zertifiziertem Papier aus nachhaltiger Waldwirtschaft gedruckt.

Wichtiger Hinweis

Die Gedanken, Methoden und Anregungen in diesem Buch wurden nach bestem Wissen erstellt und mit größtmöglicher Sorgfalt überprüft. Sie bieten jedoch keinen Ersatz für kompetenden individuellen medizinischen Rat. Jede Leserin, jeder Leser sollte für das eigene Tun und Lassen selbst verantwortlich sein. Weder Autor noch Verlag können für eventuelle Nachteile oder Schäden, die aus den im Buch gegebenen praktischen Hinweisen resultieren, eine Haftung übernehmen.

www.facebook.com/gu.verlag

GRÄFE UND UNZER
Ein Unternehmen der
GANSKE VERLAGSGRUPPE

QUALITÄTS G|U GARANTIE

Liebe Leserin, lieber Leser,

haben wir Ihre Erwartungen erfüllt? Sind Sie mit diesem Buch zufrieden? Haben Sie weitere Fragen zu diesem Thema? Wir freuen uns auf Ihre Rückmeldung, auf Lob, Kritik und Anregungen, damit wir für Sie immer besser werden können.

GRÄFE UND UNZER Verlag
Leserservice
Postfach 86 03 13
81630 München
E-Mail:
leserservice@graefe-und-unzer.de

Telefon: 00800 / 72 37 33 33*
Telefax: 00800 / 50 12 05 44*
Mo–Do: 8.00–18.00 Uhr
Fr: 8.00–16.00 Uhr
(gebührenfrei in D, A, CH)*

Ihr GRÄFE UND UNZER Verlag
Der erste Ratgeberverlag – seit 1722.